Guide **Microapp**

D0784617

^{MICROSOFT®}

Internet
Explorer 6

Micro Application

Copyright   © 2002   Micro Application
                            20-22, rue des Petits-Hôtels
                            75010 Paris

                  1ère Édition - Novembre 2002

Auteur   Olivier ABOU

ISBN : 2-7429-2716-6

MICRO APPLICATION   Support technique :
20-22, rue des Petits-Hôtels   Tél : 01 53 34 20 46 - Fax : 01 53 34 20 00
75010 PARIS   également disponible sur le site
Tél : 01 53 34 20 20 - Fax : 01 53 34 20 00   www.microapp.com
http://www.microapp.com

Mister O'net, l'homme à la référence, vous montre le chemin !

Rendez-vous sur le site Internet de Micro Application
www.microapp.com. Dans le module de recherche, sur
la page d'accueil du site, retrouvez **Mister O'net**. Dans la zone
de saisie, entrez la référence à 4 chiffres qu'il vous indique sur
le présent livre. Vous accédez directement à la fiche produit et, le cas échéant, aux exemples de ce livre.

Recherche
3716

Avant-propos

Tout en couleur, la collection GUIDE MICROAPP vous accompagne dans votre découverte d'un logiciel ou d'une technologie informatique. Grâce à une approche résolument pratique, centrée autour de nombreux exemples pas à pas, elle vous permet de réussir vos premières prises en main et de réaliser des opérations concrètes, rapidement et facilement, sans connaissance préalable du sujet traité.

Les ouvrages de la collection sont basés sur une structure identique :

- Des étapes numérotées, associées à des captures d'écran, vous permettent de suivre et de reproduire pas à pas l'exemple étudié.

- Des informations complémentaires au sujet traité vous sont délivrées. Présentées sous forme d'encadrés, elles sont repérables par l'icône ▷.

- Des définitions vous permettent de comprendre les termes et abréviations relatifs au logiciel ou à la technologie étudiée. Présentées sous forme d'encadrés, elles sont identifiables par l'icône ●.

Complète, la collection GUIDE MICROAPP vous délivre des outils innovants pour rendre l'apprentissage encore plus enrichissant et convivial :

Le coin des passionnés, pour tous ceux qui souhaitent approfondir leurs connaissances et aller plus loin dans leur utilisation du logiciel ou de la technologie étudiée.

Les Fiches pratiques, pour maîtriser en quelques clics une application précise.

Afin de faciliter la compréhension des techniques décrites, nous avons adopté les conventions typographiques suivantes :

- **Gras** : menu, commande, onglet, bouton
- *Italique* : rubrique, zone de texte, liste déroulante, case à cocher
- www.microapp.com : adresse Internet
- **Hotmail** : renvoi vers un encadré définition
- ⋯⋗ : marque le début d'un exemple pas à pas
- ■ : marque la fin de l'exemple pas à pas

Sommaire

Communiquer avec Internet Explorer

Le coin des passionnés

La sécurité

Fiches pratiques

Introduction

Ce n'est plus un secret, Internet s'est ouvert au grand public grâce au Web, et Internet Explorer représente actuellement un outil de choix, largement plébiscité par tous, pour y accéder.

Avant l'apparition du Web au début des années 1990, Internet existait bel et bien, mais il était réservé à des spécialistes : universitaires, chercheurs, militaires, etc. De plus, les outils disponibles pour naviguer ne représentaient pas vraiment un modèle de convivialité comme l'est aujourd'hui le célèbre navigateur de Microsoft. Concrètement, à cette époque, Explorer Internet signifiait «connaître et maîtriser un langage de commandes à inscrire en mode texte, sous un environnement professionnel réputé pour sa complexité (Unix, en l'occurrence)».

Heureusement pour nous, le temps où l'on explorait Internet à partir de lignes de commande mystérieuses semble révolu. Il existe désormais des outils qui proposent une interface graphique intuitive pour accéder en toute simplicité aux nombreuses ressources du réseau des réseaux. Mais avant de voir tout cela plus en détail, et pour profiter de toutes ces merveilles, il convient de disposer d'une connexion à Internet, condition sine qua non pour donner un sens à Internet Explorer.

Accéder à Internet

Naviguer sur le Web avec Internet Explorer exige un équipement minimal, tant sur le plan matériel que logiciel. Commençons alors par le plus évident : la connexion Internet.

Se connecter

Comme vous vous en doutez, la consultation des sites web est difficile sans un accès à Internet. De plus, un navigateur n'est pas toujours disponible sur les appareils capables de se connecter. En fait, le navigateur de Microsoft est distribué avec les systèmes d'exploitation Windows récents et il est inutile d'espérer en profiter à partir, par exemple, d'un téléphone mobile. De tels systèmes sont livrés uniquement avec des ordinateurs de bureau ou des portables, de type PC. Notez toutefois qu'une version Macintosh d'Internet Explorer existe, mais vous devez la télécharger sur le site de Microsoft (www.microsoft.fr) pour l'installer ensuite sur votre système.

C'est pourquoi, si vous comptez acquérir un ordinateur ou le mettre à jour, ce qui va suivre devrait vous intéresser car pour exploiter dans les meilleures conditions les richesses du Web, il ne faut rien oublier.

Choisir un fournisseur d'accès Internet

L'accès Internet à domicile nécessite de prendre un abonnement spécifique chez un FAI. Or, il en existe une multitude et le marché ressemble véritablement à une jungle où le jargon technique est roi. C'est pourquoi, pour effectuer le bon choix, il convient d'identifier auparavant vos besoins. Ainsi, pour une utilisation professionnelle, un petit réseau local (celui d'une profession libérale ou d'une PME/PMI) ou un intranet de plusieurs centaines de machines, il faudra opter pour une solution évoluée de type liaison permanente à haut débit. Dans ces conditions, vous devrez payer un forfait mensuel fixe qui vous offrira un temps de connexion illimité. Dans ce domaine, il existe plusieurs technologies : câble, ADSL ou liaison spécialisée.

Si vos besoins sont moins importants, et pour commencer, une connexion classique par la ligne téléphonique suffira amplement. On parlera alors de liaison analogique, ou RTC (pour réseau téléphonique commuté). Il faudra investir dans l'achat d'un modem classique (peu onéreux) et vous pourrez ainsi faire vos premiers pas à moindres frais. Mais si, par la suite, vos besoins deviennent plus importants (débit plus rapide, durée de vos connexions...), n'hésitez pas alors à opter pour une liaison Numéris ou à passer par le câble ou une connexion ADSL.

L'ordinateur

La plupart des ressources sur le Web ne demandent pas un matériel extrêmement puissant comme l'exigent les jeux ou certaines applications graphiques. Toutefois, le multimédia a désormais fait son apparition sur les sites, et Internet Explorer représente une application qui n'est plus tout à fait légère comme l'étaient les premiers navigateurs du marché.

Il faut également savoir que le tout dernier système d'exploitation de Microsoft, Windows XP, représente "une sacrée usine à gaz" que l'on ne peut installer partout. De fait, il lui faudra une machine suffisamment puissante pour fonctionner dans les meilleures conditions. Ainsi, comptez au minimum 128 Mo de RAM (mémoire vive), voire 256 Mo, et un disque dur rapide de type UDMA 100 avec une capacité de 20 Go ou 30 Go. Optez également pour un processeur rapide, de type Athlon XP, Pentium IV, avec une bonne cadence d'horloge (les processeurs à 1 GHz sont les bienvenus).

N'oubliez pas que lorsque vous démarrez votre ordinateur, si votre équipement n'est pas à la hauteur, toutes vos ressources peuvent déjà être complètement occupées par le système d'exploitation avant même d'exécuter votre première application, à savoir la connexion Internet et votre navigateur. Pensez-y si vous devez bientôt renouveler votre matériel.

Le modem

Pour se connecter à Internet et naviguer sur le Web, l'achat d'un modem est indispensable si vous avez opté pour un abonnement classique (liaison non permanente). Et comme vous le remarquerez, il existe actuellement trois modèles sur le marché : la carte interne, la carte PCMCIA et le boîtier externe. La première est économique à l'achat (une vingtaine d'euros, rarement plus) et ne prend aucune place sur votre bureau. Seul défaut : aucun signal ne vous informera de la qualité ou de l'état de votre connexion. Car, à l'inverse d'un modem externe, vous ne disposez d'aucune diode (signal lumineux) vous indiquant, par exemple, où vous en êtes dans votre procédure de connexion. De plus, lorsque vous devez recomposer plusieurs fois le même numéro, vous êtes obligé de redémarrer votre ordinateur. Notez que ce n'est pas nécessaire avec un boîtier externe qui dispose d'un bouton Marche/Arrêt sur la façade.

Les cartes PCMCIA sont toujours plus chères et elles ne représentent un intérêt que lorsque vous vous déplacez, pour vous connecter avec un ordinateur portable. À ce titre, leur dimension est intéressante (elle n'excède pas celle d'une carte bancaire), et leur poids est négligeable. Conclusion : adoptez sans hésiter ce produit si vous vous déplacez régulièrement avec un ordinateur portable. Sinon, abstenez-vous.

Terminons par le dispositif que l'on rencontre le plus souvent avec les PC de bureau : le boîtier externe. L'inconvénient : la place prise sur votre bureau, mais, avec le temps, sa dimension a considérablement diminué. De plus, l'installation s'effectue en toute simplicité puisque tous ces appareils, lorsqu'ils sont récents, répondent à la norme plug and play : le modem est donc automatiquement reconnu et intégré par votre système. Et si vous devez vous déplacer, rien ne vous empêche de l'emporter avec vous pour le connecter sur une autre machine de bureau ou sur votre portable. Mais vous ne pourrez bénéficier de la dimension extrêmement réduite d'une carte PCMCIA.

vous en aperceviez. Son rôle : contrôler tous les nouveaux fichiers que vous téléchargez et que vous enregistrez sur votre disque dur. S'ils contiennent un code dangereux, qui ressemble à celui d'un virus, le programme de protection vous en interdit immédiatement l'accès et l'exécution. Concrètement, une alerte s'affiche pour vous demander l'action à déclencher : éradiquer le virus sans supprimer le fichier infecté (pas toujours possible), suppression du fichier, etc.

Si vous ne disposez pas encore d'un antivirus sur votre machine, il convient de combler cette lacune très rapidement. Et dans ce domaine, l'offre du marché est pléthorique. Nous en avons sélectionné quelques-uns sous un tableau, tous disponibles dans une version de démonstration que vous pourrez télécharger sur le site de leur éditeur respectif. Idéal pour tester avant d'acheter.

Antivirus		
Nom	**Adresse**	**Commentaire**
AVP	www.avp.com	Léger et d'une efficacité redoutable
NAV 2001	www.symantec.fr	Simple à prendre en main
McAfee	www.mcafee.com	La dernière version de Virus Scan mérite le détour
eSafe Protect	www.esafe.com	Un produit performant qui offre plus qu'un simple antivirus
Fix-it Utilities	www.ontrack.com	Utilitaires système intégrant un antivirus qui remplit parfaitement sa tâche

Pare-feu

Dernier outil à ne pas négliger : le pare-feu ou firewall, indispensable lorsqu'on possède une connexion permanente à Internet de type câble ou ADSL. Cela dit, il existe un type de virus, les chevaux de Troie, qui justifie à lui seul l'installation d'un pare-feu même si vous vous connectez par intermittence avec un modem classique.

Le rôle d'un pare-feu consiste à bloquer tous les ports de votre machine, c'est-à-dire ses portes d'accès que des pirates peuvent emprunter pour prendre le contrôle de votre système. Concrètement, si votre ordinateur reste plusieurs heures connecté à Internet, un port ouvert représente un réel danger pour l'intégrité de vos données.

Si vous installez par mégarde un cheval de Troie (en double-cliquant par exemple sur un fichier attaché à un e-mail envoyé par un inconnu), un serveur fonctionnera à votre insu sur votre système. Or, un tel programme est conçu pour traiter les connexions effectuées sur un port spécifique par des utilisateurs distants. Et certains chevaux de Troie sophistiqués intègrent en outre des commandes capables de prendre le contrôle d'un système et d'exécuter des tâches irréversibles pour vos données (suppression des fichiers, formatage d'un disque…).

Certes, certains antivirus récents sont capables de détecter les chevaux de Troie, mais il n'existe pas pour le moment de meilleure protection qu'un pare-feu. En surveillant tous vos ports, il peut vous prévenir de toute tentative de connexion et bloquer automatiquement la procédure.

Cela dit, un vrai pare-feu fonctionne également dans le sens inverse, en bloquant toute tentative de connexion à Internet de la part de l'un de vos programmes. Il n'est effectivement pas rare que certains logiciels envoient des données à votre insu…

Il existe de nombreux pare-feu disponibles sur le marché, mais la plupart ne sont pas vraiment faciles à installer. C'est pourquoi, nous avons sélectionné l'un des plus convivial (et le moins cher) : ZoneAlarm (www.zonelabs.com). Il n'est pas compliqué à installer et, surtout, il est simple à configurer. Il est en outre complètement gratuit pour les particuliers.

Les navigateurs

Si Internet Explorer a su s'imposer avec le temps, il n'empêche que la route fut longue et, malgré ses parts de marché (plus de 90 %), il est loin d'être le premier à être apparu sur le Web. Disons qu'il a su remarquablement bien rattraper son retard.

Les concurrents

Le langage HTML, qui permet de créer les pages web, est apparu dans les années 1990 dans les laboratoires du CERN à Genève. Peu de temps après cette découverte, le NCSA (National Center for Supercomputing Applications) met au point le premier navigateur graphique : Mosaïc.

Mosaïc

Grâce à Mosaïc, le Web, et par conséquent Internet, s'est ouvert au grand public.
Cela dit, les problèmes sont également apparus très vite. En fait, le langage HTML,
tel qu'il avait été conçu par Tim Berners-Lee, était rudimentaire et ses fonctionnalités
totalement insuffisantes pour élaborer un site web attrayant pour le grand public.
De fait, les scientifiques n'étaient déjà plus les seuls, à cette époque, à naviguer
sur Internet et de nombreuses entreprises privées l'avaient déjà fort bien compris.
C'est pourquoi, ces dernières ont participé, de leur propre chef, au développement
et à l'évolution de la norme HTML en y intégrant leurs propres instructions.

Netscape

Le navigateur Netscape
(www.netscape.fr) est
apparu sur
le marché très vite après
Mosaïc, dès 1994.

Or, cette même année,
les acteurs d'Internet
mettent en place, avec
l'aide de l'IETF (un
organisme de
standardisation pour le
Web), une liste de
balises HTML
compatibles qui doit
constituer une véritable
référence pour tous les
développeurs web du
monde entier ; un
langage commun, en
quelque sorte, qui
permet aux utilisateurs d'accéder à toutes les informations en ligne de la même
façon et sans aucune difficulté.

Concrètement, cette liste a donné naissance à la version 2.0 du langage HTML.
Une version encore trop rudimentaire selon certaines entreprises, et pour
Netscape en particulier qui n'a pas hésité à y introduire ses propres balises
propriétaires par le biais de son navigateur. En fait, le standard HTML 2.0 a été
adopté par tous, mais il avait davantage été conçu dans l'esprit des scientifiques,

en oubliant l'aspect divertissement et loisir qu'en attendait le grand public.
Bref, avec la norme 2.0, les pages HTML étaient mornes, statiques et sans vie.
Et le grand public a trouvé ce qu'il recherchait dans les balises propriétaires
de Netscape. Le succès fut immédiat et fulgurant.

Mais les temps changent. Depuis 1997, Microsoft a pris les devants et la version
actuelle de Netscape Navigator (6.x) n'a toujours pas réussi à rattraper les parts
de marché perdues.

Autres navigateurs

Il existe bien entendu encore de nombreux navigateurs, mais leur diffusion reste
très confidentielle face aux deux poids lourds historiques du marché, Microsoft et
Netscape. On citera tout de même le navigateur Opera dont les atouts ne
manquent pas : léger, rapide et compatible avec les dernières technologies. Il offre
en outre une interface fort bien réussie et la navigation s'effectue à partir d'un
dispositif de multifenêtrage. Bref, n'hésitez pas à l'essayer si vous souhaitez varier
les plaisirs (www.opera.com).

Internet Explorer

Internet Explorer représente bien plus qu'un simple navigateur. En fait, il désigne une véritable suite logicielle pour Internet. De cette façon, en installant le système d'exploitation Windows XP, vous disposez dès le départ de tous les outils nécessaires pour exploiter les principaux services d'Internet. Inutile de se procurer d'autres programmes supplémentaires.

Outlook Express

Comme nous l'avons vu précédemment, Outlook Express accompagne Internet Explorer et permet d'accéder à deux services essentiels : l'e-mail et les newsgroups. Concrètement, vous pouvez exécuter Outlook Express directement à partir de l'interface d'Internet Explorer, et inversement. De fait, à partir d'Outlook Express, vous avez accès à tous les paramètres de configuration d'Internet Explorer et de votre connexion Internet.

Mais ce n'est pas tout. Outlook Express repose entièrement sur Internet Explorer comme l'illustre sa page d'accueil lorsque vous le démarrez. Lorsque vous

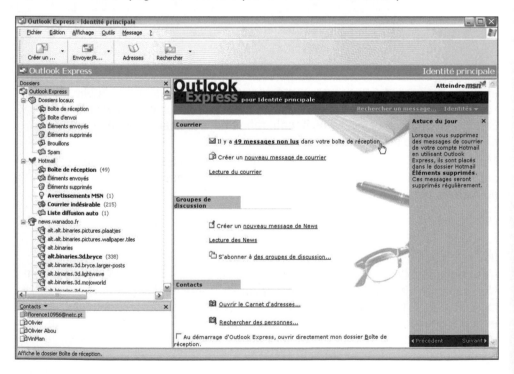

l'exécutez, il affiche une véritable page web pour vous informer, entre autres, du nombre de messages que vous avez reçus. Ainsi, en cliquant sur le lien hypertexte correspondant, vous accédez directement à votre boîte de réception pour consulter vos nouveaux messages.

Dans ces conditions, Outlook Express est totalement compatible avec la norme HTML, c'est-à-dire le format de création des pages web. Vous pouvez alors recevoir ou envoyer des messages multimédias, ou comportant tout simplement du texte enrichi et des images.

Lecteur Windows Media

Fini le temps des pages web moroses ! Désormais, elles sont animées et ressemblent de plus en plus, pour certaines d'entre elles, à des interfaces de CD-Rom. Plus rien ne vous empêche de regarder, à partir de votre navigateur, une vidéo ou d'écouter une émission de radio. Internet Explorer intègre par défaut le Lecteur Windows Media de votre système d'exploitation.

Vous pouvez l'utiliser de deux façons : dans un mode autonome ou intégré. Comme vous le verrez plus loin dans ce livre, le Lecteur Windows Media offre de nombreuses fonctionnalités (gravure de CD-Rom, copie de musique, tuner radio, etc.),

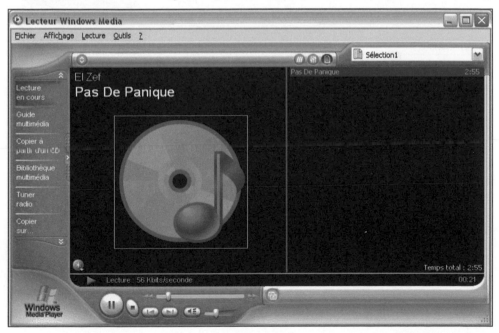

mais il peut également, en fonction du contenu à afficher, apparaître dans une page web sous la forme d'un petit module intégré, sans qu'il soit nécessaire de quitter l'interface du navigateur, pour exécuter une séquence vidéo ou écouter de la musique, par exemple.

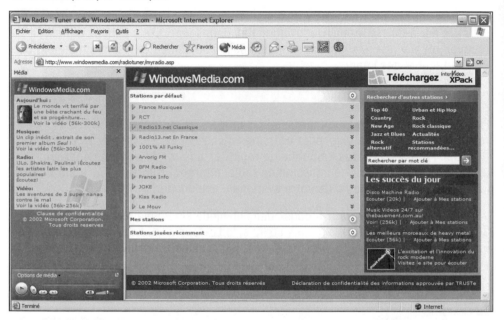

Windows Messenger

Les messageries instantanées ont le vent en poupe sur Internet et Microsoft l'a bien compris. Désormais, la suite Internet Explorer propose également son propre module de chat en direct : Windows Messenger. Avec lui, vous pourrez dialoguer en temps réel avec des correspondants venant des quatre coins de la planète. Vous pourrez également échanger des fichiers ou discuter oralement, si vous disposez d'un équipement son (enceinte ou casque, micro). Et pour les possesseurs de webcam, les portes de la visioconférence vous seront ouvertes.

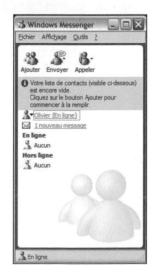

Chapitre 1

Premiers pas
avec Internet Explorer

Le Web représente un espace d'information particulièrement aisé à exploiter. Vous affichez des pages à partir d'Internet Explorer et il suffit de cliquer sur des liens pour en consulter d'autres.

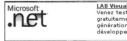

La connexion sur les serveurs s'effectue de façon transparente et la navigation ne requiert aucune compétence technique. Cela dit, il convient de savoir installer et configurer le logiciel.

Installation et configuration

En général, lorsque vous achetez un ordinateur, celui-ci dispose déjà de son système d'exploitation, Windows XP pour les configurations les plus modernes, et Internet Explorer est intégré dès le départ dans votre environnement de travail. Dans ces conditions, la procédure d'installation est quasi inexistante, mais il existe des exceptions.

Avant d'examiner ce cas, voyons d'abord comment configurer l'essentiel.

Configurer l'accès

Avant de naviguer sur le Web, il faut disposer d'un accès Internet correctement configuré. Parfois, vous pouvez même en installer plusieurs, avec les différentes offres des FAI gratuits, pour toujours profiter d'une connexion opérationnelle.

En général, les kits de connexion fournis par les FAI permettent d'installer et de configurer automatiquement votre accès. Mais si vous avez opté pour plusieurs FAI, ou si un problème survient, vous devez savoir installer et configurer manuellement vos propres connexions.

Installation d'un accès

1 Sélectionnez la commande **Panneau de configuration** du menu **Démarrer** dans la barre des tâches Windows pour afficher la boîte de dialogue correspondante.

2 Double-cliquez sur l'icône *Connexions réseau* pour afficher une nouvelle boîte de dialogue qui va vous permettre de créer la nouvelle connexion.

3 Double-cliquez sur l'icône *Établir une nouvelle connexion* pour afficher l'Assistant Connexion au réseau.

Cliquez sur **Suivant**.

Bienvenue dans l'Assistant Connexion réseau

Cet Assistant vous aide à créer une connexion à Internet ou un réseau privé tel qu'un réseau sur votre lieu de travail. Il peut également configurer cet ordinateur afin de permettre à d'autres ordinateurs de s'y connecter.

Cliquez sur Suivant pour continuer.

< Précédent   Suivant >   Annuler

4 Sélectionnez votre type de connexion : *Connexion Internet, Connexion au réseau d'entreprise* et *Connexion avancée*. La dernière option permet d'établir une liaison directe avec une autre machine à travers un port série, parallèle ou infrarouge. Elle permet également à d'autres utilisateurs de se connecter sur votre PC. La seconde option est conçue pour configurer une liaison sécurisée entre votre machine et

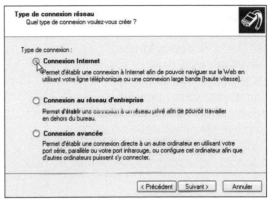

le réseau privé de votre entreprise. Vous pourrez ainsi y accéder directement depuis votre domicile. Enfin, l'option qui nous intéresse (la première) est dédiée à la configuration d'une connexion Internet classique (modem analogique ou Numéris) ou haut débit (câble ou ADSL). Sélectionnez-la et passez à l'étape suivante.

5 Une boîte de dialogue s'affiche et propose deux options : *Connexion d'accès à distance* et *Connexion large bande*. La première vous concerne si vous devez configurer un accès classique (modem analogique ou adaptateur Numéris) et la seconde est destinée aux liaisons à haut débit (ADSL ou câble).

6 Après avoir sélectionné la première option, inscrivez le numéro de téléphone à composer pour vous connecter sur le serveur du fournisseur d'accès. Désactivez ensuite l'option *Utiliser les règles de numérotation*. Cliquez enfin sur le bouton **Suivant**.

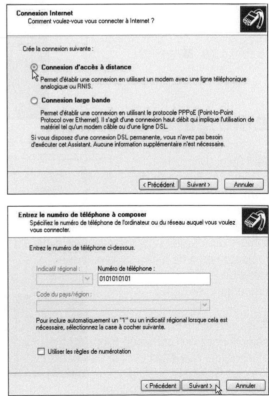

7 Saisissez ici votre nom d'utilisateur et votre mot de passe (en l'inscrivant deux fois pour la confirmation). Cela vous évitera de le saisir à chaque nouvelle connexion. Notez que vous pouvez également indiquer à Windows d'activer par défaut cette nouvelle connexion lorsque Internet Explorer a besoin de se connecter à Internet.

8 À présent, donnez un nom à votre nouvelle connexion et cochez l'option *Ajouter un raccourci à cette connexion sur mon Bureau* si vous le souhaitez. Cliquez sur le bouton **Terminer**. Vous venez de créer votre accès, il ne reste plus qu'à le configurer. ■

Configurer un accès

1 Sélectionnez la commande **Panneau de configuration** du menu **Démarrer** dans la barre des tâches Windows pour afficher la fenêtre du même nom. Sélectionnez, avec le bouton droit de la souris, la nouvelle icône de connexion que vous avez créée précédemment.

2 Dans le menu contextuel qui apparaît, sélectionnez la commande **Propriétés** pour afficher une nouvelle boîte de dialogue. L'onglet **Général** vous indique le modem associé à la connexion courante.

Notez que vous pouvez en changer en utilisant la liste conçue à cet effet. Bien entendu, celle-ci n'est disponible que si vous avez installé plusieurs modems sur votre machine. Vous disposez également ici du numéro de téléphone à composer pour vous connecter et d'un bouton **Configurer** pour indiquer le type de liaison que vous utiliserez : *Numéris 64K* ou *RTC 56K*. Si votre équipement le permet, vous pouvez ouvrir un second canal RNIS pour passer à un débit de 128 kbps en Numéris.

3 Sous l'onglet **Options**, définissez vos options d'appel (délai d'attente entre chaque tentative de connexion lors d'un échec, par exemple) et de numérotation. Notez que les professionnels disposent du bouton **X.25** pour paramétrer ce type de réseau.

4 Sous l'onglet **Sécurité**, dans le cas d'une connexion classique par le réseau téléphonique, sélectionnez les options par défaut en autorisant un mot de passe non sécurisé. À l'inverse, si l'administrateur du serveur de votre FAI vous a indiqué une procédure de connexion spécifique, en employant un protocole ou un système de cryptage bien particulier, vous avez alors la possibilité de le paramétrer en cochant l'option *Avancées* et en cliquant sur le bouton **Paramètres**. Reportez-vous aux consignes de votre support technique pour en savoir plus, les options de configuration avancées étant généralement spécifiques à des systèmes bien particuliers que nous n'aborderons pas ici.

5 La dernière section permet d'afficher une fenêtre de terminal (pour la saisie manuelle de votre identifiant et de votre mot de passe à chaque connexion) ou d'exécuter directement un script de connexion spécifique, fourni par votre FAI. Ces dernières options ne devraient pas vous être utiles, sauf si vous exploitez un service assez ancien qui n'a pas encore actualisé sa procédure de connexion.

6 L'onglet **Gestion de réseau** indique le type de serveur à appeler (*PPP : Windows 95/98/NT4/2000, Internet*, en l'occurrence). La seconde option, *SLIP*, n'est presque plus utilisée (protocole de connexion très ancien). Notez que le bouton **Paramètres** permet d'accéder à la configuration avancée de votre accès Internet. Vous y trouverez des options pour désactiver, entre autres, la compression logicielle des données transférées. Nous vous conseillons cependant de conserver les valeurs par défaut, sauf si vous rencontrez des dysfonctionnements pendant vos sessions de communication.

7 Dans la seconde section de ce même onglet, plusieurs composants à configurer s'affichent. Ainsi, pour une connexion Internet standard, désactivez les deux dernières options : *Partage de fichiers et d'imprimantes* et *Clients pour les réseaux Microsoft*. Notez que la seconde option, *Planificateur de paquets QoS*, ne concerne que les administrateurs système qui souhaitent contrôler le trafic réseau en définissant des priorités pour les différents services Internet. En fait, seule l'option *Protocole Internet (TCP/IP)* vous intéresse. Sélectionnez-la et cliquez sur le bouton **Propriétés**.

8 Cliquez sur l'option *Obtenir une adresse IP automatiquement* (sauf si votre fournisseur d'accès vous indique le contraire et si vous possédez une adresse IP statique, ou fixe, composée de quatre chiffres).

9 Cochez, dans la seconde section, l'option *Utiliser l'adresse de serveur DNS suivante* (sauf si votre FAI vous a spécifié le contraire, ce qui peut être le cas avec les connexions ADSL et câble où les adresses des serveurs DNS s'obtiennent automatiquement). Inscrivez ensuite les deux adresses IP (une suite de quatre chiffres séparés par un point) communiquées par votre FAI.

10 Cliquez sur le bouton **Avancé** pour afficher une nouvelle boîte de dialogue proposant trois onglets. Le premier, **Général**, permet d'activer la compression d'en-tête IP (conseillé, sauf si vous rencontrez des dysfonctionnements pendant vos sessions de communication) et une passerelle par défaut pour le réseau distant (cette option n'est disponible que si vous avez installé un réseau local).

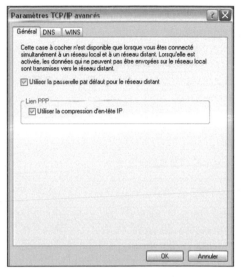

11 L'onglet **DNS** permet d'ajouter des adresses de serveurs DNS et de définir un ordre de priorité pour leur utilisation.

12 L'onglet **WINS**, le dernier de toute cette série, ne vous concerne que si vous disposez d'un réseau local qui se charge lui-même de la résolution des adresses IP des machines. Pensez à désactiver ici les services NetBios avec TCP/IP (ces derniers représentent effectivement une faille de sécurité assez importante).

13 Dans la boîte de dialogue principale des propriétés de votre nouvelle connexion, activez le dernier onglet intitulé **Avancé**. Microsoft a effectivement implémenté un pare-feu dans son système et vous pouvez justement l'activer ici.

14 Si votre machine est connectée à un réseau local, vous pouvez activer ici en toute simplicité le partage de votre connexion Internet avec tous les autres membres de votre réseau. Toutefois, si vous n'avez pas trop confiance en vos utilisateurs, n'oubliez pas de désactiver les deux dernières options qui leur permettent respectivement de composer eux-mêmes le numéro d'accès au serveur et de déconnecter totalement, pour tout le réseau, votre connexion Internet. Notez à ce propos que vous pouvez définir exactement les services, installés sur votre réseau local, que les utilisateurs peuvent exploiter en cliquant sur le bouton **Paramètres** et en cochant, sur la liste **Services**, tous les services qui vous intéressent (Web, FTP, courrier électronique, etc.).

15 La procédure de configuration est désormais terminée. Double-cliquez sur la nouvelle icône de connexion présente dans la fenêtre **Connexions réseau** et, si le nom d'utilisateur et le mot de passe sont déjà inscrits, il suffira de sélectionner le bouton **Numéroter** pour composer immédiatement le numéro d'accès au serveur de votre FAI.

Dans le cas contraire, saisissez votre identifiant et votre mot de passe et cochez éventuellement l'option *Enregistrer ce nom d'utilisateur et ce mot de passe à utiliser quand* pour éviter de toujours les ressaisir à chaque nouvelle connexion.

16 Vous devriez obtenir, peu de temps après, une nouvelle icône dans la barre des tâches vous indiquant l'état de votre connexion.

Double-cliquez sur cette icône pour ouvrir la boîte de statut et obtenir différentes informations à propos de votre liaison (adresse IP de votre machine, volume des données transférées, etc.).

17 Pour mettre fin à votre connexion, cliquez sur le bouton **Se déconnecter**. ■

Votre connexion Internet est désormais opérationnelle. Passons maintenant à l'installation et à la configuration de votre navigateur.

Installer Internet Explorer

Dans des cas fort rares, il se peut que votre système ne dispose pas d'Internet Explorer. Plusieurs raisons sont à l'origine d'une telle situation : désactivation par erreur lors de l'installation, choix du vendeur chargé de la configuration et du montage de votre machine, etc.

Quoi qu'il en soit, ce n'est pas catastrophique. Il suffit de copier les fichiers manquants sur votre système à partir du CD-Rom d'installation de Windows.

1 À partir de la barre des tâches de Windows, sélectionnez le module **Démarrer/Paramètres/ Panneau de configuration**.

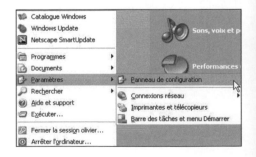

2 Dans la fenêtre qui s'affiche, cliquez sur le lien *Ajouter ou supprimer des programmes.*

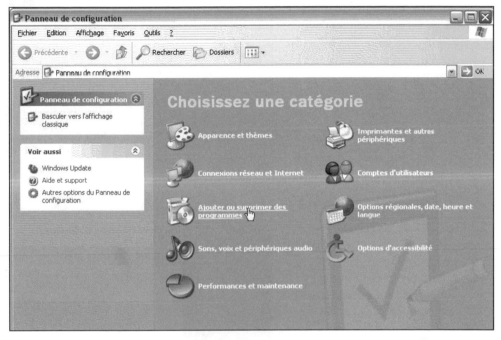

3 Une nouvelle fenêtre apparaît. Dans le menu gauche, cliquez sur la dernière icône intitulée *Ajouter ou supprimer des composants Windows.*

4 Une boîte de dialogue s'affiche ; elle est entièrement dédiée à la gestion des composants Windows. Comme vous pouvez le voir, ils sont tous accessibles dans le cadre prévu à cet effet. Cochez l'option *Internet Explorer* et cliquez sur le bouton **Suivant**.

5 Insérez le CD-Rom d'installation de Windows XP dans votre lecteur de CD-Rom et validez par OK le message qui vient de s'afficher. La procédure d'installation peut commencer.

6 Au terme de l'installation, l'Assistant Composants de Windows affiche un message vous informant de la fin de la procédure. Cliquez sur le bouton **Terminer** et refermez la fenêtre précédente en sélectionnant le bouton **Fermer**. Internet Explorer est désormais disponible sur votre ordinateur. ■

Mise à jour

Une fois Internet Explorer installé, il faut le mettre à jour régulièrement. Cette procédure est d'ailleurs assez importante pour différentes raisons. La première : vous pourrez ainsi toujours profiter des dernières innovations du Web (animations multimédias, nouvelles fonctionnalités, etc.). Ensuite, tous les produits informatiques contiennent des erreurs et Internet Explorer n'échappe pas à cette règle : bogues, failles de sécurité, etc. Dans ces conditions, l'éditeur met régulièrement sur son site des patches de mises à jour. Comme vous allez le voir, la procédure pour les télécharger et les installer n'exige aucun effort. Tout est pris en charge automatiquement.

Mais il peut être utile de savoir avant si vous avez besoin d'une mise à jour importante. La version actuelle d'Internet Explorer est la 6.0 et si vous disposez d'une version antérieure, il convient alors de l'actualiser très rapidement.

1 Démarrez Internet Explorer et sélectionnez la commande **A propos d'Internet Explorer** du menu d'aide (symbolisé par un point d'interrogation, **?**).

2 Une fenêtre apparaît immédiatement et vous indique, entre autres, le numéro de la version d'Internet Explorer que vous possédez. Pour refermer cette boîte de dialogue, cliquez tout simplement sur OK. ■

Il est peut-être maintenant nécessaire de mettre à jour Internet Explorer. C'est donc ce que vous allez faire sans plus tarder.

Connexion à Windows Update

Désormais, les mises à jour du système Windows, et plus particulièrement celle d'Internet Explorer, se font en toute simplicité en ligne. Cela représente un atout de taille : inutile dorénavant de suivre toute l'actualité informatique pour se

À propos de Windows Update

Windows Update est l'extension en ligne de Windows qui vous permet de conserver à jour votre ordinateur. Utilisez Windows Update pour sélectionner les mises à jour nécessaires au système d'exploitation, au matériel et aux logiciels de votre ordinateur. Des nouveautés sont ajoutées au site régulièrement afin que vous puissiez toujours obtenir les mises à jour et les correctifs les plus récents pour protéger votre ordinateur et lui assurer un fonctionnement sans problème.

1. Vous recherchez les dernières mises à jour pour votre ordinateur personnel. Cliquez sur la page d'accueil du centre Aide et support pour que Windows Update ne vous propose que les mises à jour adaptées à votre ordinateur. Plus d'infos sur Windows Update.
2. Vous êtes un administrateur réseau ou un utilisateur expérimenté et que vous souhaitez télécharger des mises à jour pour d'autres ordinateurs. Dans ce cas, utilisez le Catalogue accessible à partir du volet de navigation situé à gauche de l'écran (s'il n'est pas affiché, cliquez sur Personnaliser Windows Update pour découvrir les options permettant d'afficher ce lien). Plus d'infos sur le Catalogue Windows Update.

tenir au courant des dernières nouveautés qui sortent sur le marché. Il suffit de se connecter sur une page spécifique, qui intègre un programme d'analyse chargé d'inspecter votre configuration. Dans ces conditions, le serveur de Microsoft vous signalera automatiquement toutes les mises à jour disponibles pour votre système.

Confidentialité

Le service Windows Update s'est engagé à protéger la confidentialité des données des utilisateurs. Mais il faut savoir que pour proposer une liste de mises à jour personnalisées, le serveur de Microsoft doit récupérer plusieurs informations à partir de votre ordinateur. Lesquelles ? Il existe quatre types d'information à transmettre :

■ le numéro de version de votre système d'exploitation ;

■ le numéro de version d'Internet Explorer ;

■ le numéro de version des autres logiciels Microsoft disponibles sur votre système ;

■ le numéro d'identification plug and play des périphériques installés sur votre machine.

Pour bien comprendre cette procédure, il faut savoir que Windows Update ne récupère aucune information personnelle de type nom, adresse postale, e-mail, etc. De plus, les données transférées sont uniquement exploitées lors de votre session sur le site et ne sont pas enregistrées de façon permanente dans une base de données pour une utilisation ultérieure. En tout cas, pas toutes les données. Car il existe une exception lorsque le service effectue un suivi des opérations de transfert et d'installation des mises à jour pour savoir si la procédure a réussi ou échoué. Dans ces conditions, Windows Update enregistre le numéro d'identification des éléments de mise à jour que vous avez sélectionnés pour l'installation, ainsi que les numéros des versions du système d'exploitation et d'Internet Explorer. Ces informations sont ensuite sauvegardées en permanence dans une base de données, mais elles ne seront jamais associées à un numéro unique ou à un système d'identification personnelle.

Notez qu'une telle technique permet de disposer, comme nous allons le voir, d'un historique des mises à jour de votre système.

1 Connectez-vous à Internet, démarrez Internet Explorer et sélectionnez la commande **Windows Update** du menu **Outils**.

2 Lors de la première connexion sur la page de mise à jour des produits Microsoft, vous devez installer la dernière version du logiciel Windows Update avant de pouvoir utiliser son service. Concrètement, le site détecte automatiquement le composant à actualiser sur votre système et une boîte de dialogue de sécurité s'affiche. Elle vous demande l'autorisation d'installer un contrôle ActiveX spécifique, en l'occurrence Windows Update Control V4. Ce composant dispose d'une signature numérique en provenance de l'éditeur Microsoft pour son authentification et vous devez, bien entendu, accepter la procédure. Il suffit de cliquer sur le bouton **Oui** pour lancer l'installation et passer à l'étape suivante.

3 La page de mise à jour de Microsoft apparaît à l'écran immédiatement après. Elle est divisée en plusieurs parties : dans le menu situé à gauche, toutes les fonctionnalités du service (sélection des mises à jour, personnalisation du service, information sur le service, etc.) sont affichées et dans la page centrale, toutes les mises à jour disponibles pour votre système vous sont signalées. Pour lancer la procédure de vérification de votre configuration, cliquez à partir de la page centrale sur le lien *Rechercher des mises à jour*.

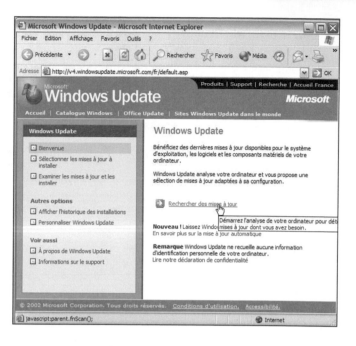

4 La procédure de recherche des mises à jour à effectuer sur votre système peut prendre un certain temps en fonction des performances de votre connexion, de la complexité de votre configuration et de la surcharge du service. Dans tous les cas, le pourcentage de la progression des opérations s'affiche dans la page centrale et vous êtes ainsi informé du déroulement des opérations.

5 Le résultat s'affiche ensuite. Dans le menu, les mises à jour sont classées thématiquement ; sur la page centrale, le service vous indique le nombre de mises à jour trouvées et vous propose de les examiner plus en détail. Cliquez sur le lien *Examiner les mises à jour et les installer*.

Différents niveaux de mises à jour

Le service utilise plusieurs catégories pour classer les mises à jour à installer. La première, intitulée *Mises à jour critiques*, désigne toutes les mises à jour concernant la sécurité de votre système et de vos logiciels. Bien évidemment, il est fortement conseillé de les installer. La seconde, appelée *Windows XP*, correspond à l'actualisation de tous vos logiciels. Enfin, la dernière rubrique, *Mises à jour de pilotes*, permet d'installer les toutes dernières versions des pilotes gérant vos périphériques.

6 Dans la page centrale du service, toutes les mises à jour détectées par Windows Update s'affichent avec une description sur leur nature et la taille du téléchargement (avec un temps de transfert estimé). Si vous ne souhaitez pas installer une mise à jour particulière, il suffit de cliquer sur le bouton **Supprimer** correspondant.

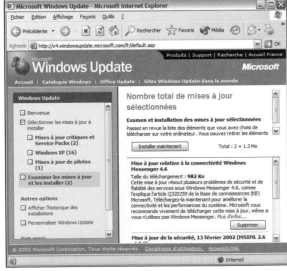

7 Si vous souhaitez en savoir plus à propos d'une mise à jour particulière, cliquez à la fin de la description sur le lien *Plus d'infos*. Une nouvelle fenêtre s'affiche et vous pouvez ainsi consulter un descriptif technique plus complet sur le composant que vous vous apprêtez à télécharger. Notez que vous disposez d'un lien spécifique, en haut de page, pour imprimer ces informations supplémentaires.

8 Revenez à présent dans la fenêtre principale du service. Une fois que vous avez supprimé toutes les mises à jour qui ne vous intéressent pas, il suffit de vous diriger en haut de la page et de cliquer sur le bouton **Installer maintenant** pour les installer toutes en une seule fois. Une boîte de dialogue apparaît ensuite pour afficher la licence d'utilisation des mises à jour. Acceptez-la en cliquant sur **J'accepte**.

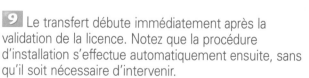

9 Le transfert débute immédiatement après la validation de la licence. Notez que la procédure d'installation s'effectue automatiquement ensuite, sans qu'il soit nécessaire d'intervenir.

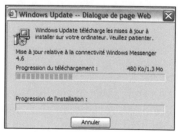

10 Au terme de l'installation, un message s'affiche vous proposant de redémarrer votre ordinateur pour rendre immédiatement opérationnelles les mises à jour

que vous venez d'installer. Notez toutefois que vous pouvez le faire plus tard. Dans ce cas, il suffit de cliquer sur le bouton **Annuler**.

11 Windows Update affiche également, sur la page centrale du service, un récapitulatif de toutes les mises à jour que vous venez d'installer. Dans le cas où une procédure aurait échoué, vous en êtes également informé sur cette page. Comme nous l'avons signalé au début, Windows Update enregistre le suivi de vos mises à jour sur ses serveurs. Pour savoir où vous en êtes à ce sujet, cliquez sur le lien *Afficher l'historique des installations* en bas de page.

12 Toutes les mises à jour que vous effectuez à partir du service Windows Update sont enregistrées et vous pouvez ainsi accéder à leur historique sous la forme d'un tableau de quatre colonnes. La première vous indique si elles ont réussi ou non, la deuxième spécifie la date de l'installation, la troisième décrit la nature de la mise à jour et la dernière colonne vous rappelle l'emplacement où vous l'avez récupérée. ■

État	Date	Description	Source
Réussite	lundi 2 septembre 2002	**Mise à jour de la sécurité, 13 février 2002 (MSXML 2.6 et 3.0)** Plus d'infos…	Site Web
Réussite	lundi 2 septembre 2002	**Mise à jour relative à la connectivité Windows Messenger 4.6** Plus d'infos…	Site Web
Réussite	vendredi 30 août 2002	**Q326830 : Mise à jour de la sécurité** Plus d'infos…	Mise à jour automatique
Réussite	vendredi 30 août 2002	**Q323172 : Mise à jour de la sécurité** Plus d'infos…	Mise à jour automatique
Réussite	vendredi 30 août 2002	**Q313450 : Mise à jour de la sécurité** Plus d'infos…	Mise à jour automatique
Réussite	vendredi 30 août 2002	**Q320920 : Mise à jour de la sécurité** Plus d'infos…	Mise à jour automatique
Réussite	vendredi 30 août 2002	**Mise à jour de la sécurité, 4 mars 2002** Plus d'infos…	Mise à jour automatique

Le service Windows Update représente une fonctionnalité importante des systèmes Windows récents et, pour bénéficier d'un environnement de travail performant et sécurisé, il est souhaitable d'effectuer cette procédure tous les mois.

Naviguer avec Internet Explorer

Comme vous allez le constater, Internet Explorer représente un outil particulièrement souple qui n'exige aucune configuration spécifique pour être utilisé. Cela dit, rien ne vous interdit de personnaliser certaines de ses fonctionnalités pour vous rendre la navigation plus agréable.

Configurer Internet Explorer

Nous vous proposons ici de modifier les paramètres basiques d'Internet Explorer. Il existe encore bien d'autres réglages à effectuer, mais ils s'adressent aux utilisateurs avancés.

Démarrage avec MSN

Lorsque vous démarrez Internet Explorer, celui-ci tente de se connecter immédiatement sur la page d'accueil de Microsoft sans vous demander votre avis. Rien d'anormal, il a été configuré ainsi par défaut. Heureusement, il est possible de désactiver cette fonctionnalité, ou d'en modifier certains aspects.

1 Démarrez Internet Explorer et laissez-le se connecter sur la page d'accueil du service MSN.

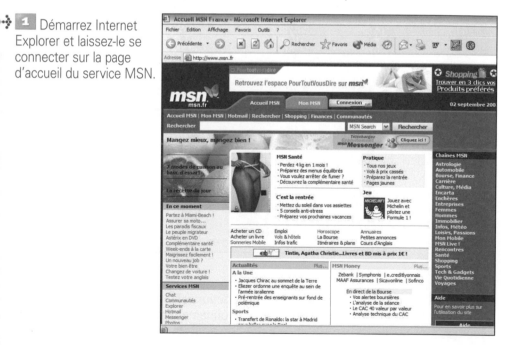

2 Cliquez sur le bouton **Mon MSN**.

3 Sur la nouvelle page qui s'affiche, vous disposez de trois options de personnalisation : *Modifier le contenu*, *Modifier la mise en page* et *Modifier les couleurs*.

4 Cliquez sur le lien *Modifier le contenu*. Dans la nouvelle page qui apparaît, sélectionnez les rubriques qui vous intéressent à partir de la liste gauche. Celles-ci apparaîtront désormais, avec les informations correspondantes, sur la page d'accueil de MSN.

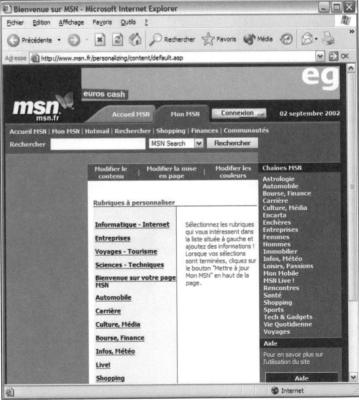

5 Cliquez sur le lien *Modifier la mise en page*. Dans la nouvelle page qui s'affiche, vous pouvez modifier l'ordre d'apparition des rubriques. Sélectionnez-en une et déplacez-la avec les flèches correspondantes. Au terme de l'opération, n'oubliez pas de valider vos choix en cliquant sur le bouton **Mettre à jour Mon MSN**.

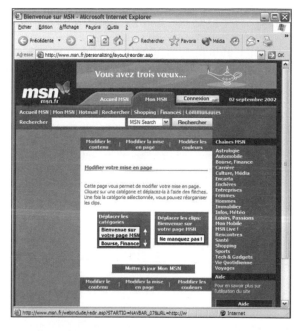

6 Cliquez sur le lien *Modifier les couleurs*. Dans la nouvelle page qui apparaît, sélectionnez les couleurs que vous souhaitez appliquer à la page d'accueil. Validez ensuite vos paramètres en cliquant sur le bouton **Mettre à jour Mon MSN**. ■

Vous disposez à présent d'une page de démarrage personnalisée.

Démarrage sans MSN

Si vous n'êtes pas un adepte des informations proposées par Microsoft, rien ne vous interdit d'en choisir d'autres en sélectionnant une autre page de démarrage. Et si le cœur vous en dit, vous pourrez même désactiver cette fonctionnalité en choisissant de démarrer avec une page vierge, sans vous connecter nulle part.

1 Indiquez dans la barre d'adresse du navigateur l'**URL** de la page que vous souhaitez afficher et validez par ⌈Entrée⌋. Celle-ci doit apparaître dans la fenêtre principale d'Internet Explorer. Dans notre exemple, nous avons saisi l'adresse de l'annuaire de recherche Nomade : http://www.nomade.tiscali.fr.

URL

Abréviation de Universal (ou Uniform) Resource Locator, l'URL désigne l'adresse d'un site web.

---

2 Cliquez sur le menu **Outils** et sélectionnez la commande **Options Internet**.

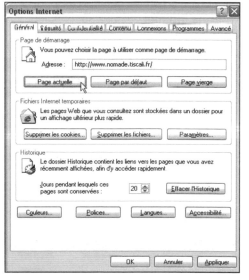

3 Sous l'onglet **Général**, cliquez sur le bouton **Page actuelle**. La page actuellement affichée dans la fenêtre du navigateur désignera maintenant celle qui sera automatiquement chargée au démarrage. ■

Comme nous l'avons dit, et si vous souhaitez accélérer le démarrage du navigateur, vous pouvez également cliquer sur le bouton **Page vierge** qui affichera un document vierge. De cette façon, Internet Explorer ne tentera pas de se connecter en ligne lorsque vous le démarrerez.

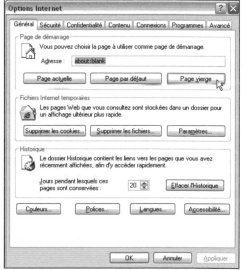

Les commandes essentielles

Votre navigateur est désormais prêt à naviguer sur le Web. Voyons alors les principales commandes qu'il vous propose.

La barre d'outils

La barre d'outils d'Internet Explorer, à l'instar de toute autre application, est un espace privilégié qui présente aux utilisateurs les principales fonctions du programme.

■ **Précédente** : permet d'afficher la page web précédente.

■ **Suivante** : permet d'afficher la page web suivante
(si vous avez utilisé auparavant le bouton **Précédente**).

■ **Arrêter** : lorsqu'une page web met trop de temps pour s'afficher, cliquez sur ce bouton pour arrêter le transfert.

■ **Actualiser** : permet d'actualiser une page lorsque les textes ou les graphiques n'ont pas été complètement chargés, ou lorsqu'elle contient une information qu'il faut remettre à jour (cours de la Bourse par exemple).

■ **Démarrage** : cliquez sur ce bouton pour vous connecter sur la page de départ (par défaut, celle de MSN comme vous l'avez vu précédemment).

■ **Rechercher** : affiche une fenêtre spécifique qui contient un formulaire pour effectuer une recherche sur Internet.

■ **Favoris** : affiche les adresses web que vous avez enregistrées dans vos favoris.

■ **Media** : permet d'afficher les programmes offerts par le site Windowsmedia.com et de visionner une vidéo ou d'écouter une chaîne de radio directement à partir de l'interface du navigateur.

- **Historique** : ouvre une nouvelle fenêtre qui propose une liste des derniers sites visités au jour le jour. Cette fonction est très utile, surtout lorsque vous avez oublié les coordonnées d'un site dont vous n'avez pas enregistré l'adresse dans vos favoris.

- **Courrier** : permet de démarrer immédiatement le programme de messagerie (par défaut Outlook Express) pour accéder aux e-mails ou aux newsgroups.

- **Imprimer** : imprime le document que vous consultez dans la fenêtre principale d'Internet Explorer.

- **Modifier** : permet d'ouvrir votre éditeur HTML (par défaut le Bloc-notes de Windows).

- **Discussion** : permet d'accéder à un serveur qui diffuse les articles des newsgroups. À la première utilisation, vous devez indiquer l'adresse d'un serveur de news.

Vous venez de voir les boutons standard d'Internet Explorer, mais il peut y en avoir plusieurs autres. Certains programmes que vous installerez ultérieurement insèrent automatiquement un bouton dans la barre d'outils pour offrir un accès direct à leurs utilisateurs à partir d'Internet Explorer.

Un second jeu de boutons, sous le premier que vous venez de voir, permet d'offrir un accès à différents services proposés par Microsoft (voyage, informations financières, etc.). Si cette seconde barre d'outils n'apparaît pas, vous pouvez l'afficher en sélectionnant la commande **Barres d'outils/Liens** du menu **Affichage**.

Autres commandes

D'autres commandes, toutes aussi importantes que les précédentes, sont disponibles à partir de la barre de menu d'Internet Explorer.

`Fichier   Edition   Affichage   Favoris   Outils   ?`

Le menu **Fichier** propose des commandes standard que vous retrouvez dans d'autres applications :

- **Ouvrir** : permet d'ouvrir une page web enregistrée sur votre disque dur ou une disquette. Vous pouvez également inscrire une adresse pour vous connecter en ligne et afficher un document.

Votre navigateur peut ouvrir et afficher d'autres formats de fichiers différents du HTML (format de création des pages web). Ainsi, vous pouvez visualiser directement à partir d'Internet Explorer des images aux formats GIF, PNG, BMP et JPEG. Vous pouvez en outre exécuter des animations Macromedia Flash ou des applications développées en Java. Bref, votre navigateur représente une application qui peut vous rendre bien des services en toute situation.

■ **Enregistrer sous…** : permet de sauvegarder un document web au format HTML ou texte, ou de façon complète avec les images et toutes les autres animations qu'il peut contenir.

Le menu **Affichage** propose différentes options qui modifient les paramètres d'Internet Explorer. Vous pouvez également en savoir plus sur les propriétés des documents que vous affichez :

■ **Barres d'outils** : permet d'afficher ou de masquer les différentes barres d'outils proposées par Internet Explorer.

■ **Barre d'état** : permet d'afficher ou de masquer la barre inférieure du navigateur. Elle affiche plusieurs informations à propos de votre connexion (progression du chargement d'une page, entre autres).

■ **Volet d'exploration** : permet d'afficher ou de masquer les fenêtres supplémentaires du navigateur (recherche, favoris, Lecteur Windows Média, historique, etc.).

■ **Taille du texte** : permet de modifier la taille du texte qui s'affiche à l'écran.

■ **Codage** : modifie le jeu de caractères utilisé par un document (permet de passer, par exemple, en mode d'affichage cyrillique).

■ **Source** : affiche le code source HTML de la page que vous consultez.

Le menu **Favoris** permet d'enregistrer les adresses des sites que vous visitez pour y revenir plus tard sans qu'il soit nécessaire de saisir leur adresse. Nous aurons l'occasion de détailler plus longuement cette fonctionnalité lors du prochain chapitre.

Le menu **Outils** donne accès à de nombreuses fonctionnalités d'Internet Explorer. Vous pouvez ici démarrer directement Outlook Express pour lire vos e-mails ou les articles des newsgroups. Comme nous l'avons vu précédemment, la commande **Windows Update** permet de mettre à jour votre système à partir d'un site web. Le menu **Outils** vous permet également d'accéder à tous les paramètres de configuration d'Internet Explorer via la commande **Options Internet**.

En cliquant sur le bouton droit de la souris lorsque le pointeur est placé sur un lien, une image ou n'importe où ailleurs sur le document, vous affichez un menu contextuel qui propose de nombreuses commandes fort intéressantes. Notez que les options offertes par ce menu varient sensiblement selon l'endroit où vous cliquez : lien, texte, image...

■ **Ouvrir** : affiche la page ou l'image référencée par un lien. Notez que vous obtiendrez un résultat identique si vous cliquez directement sur le lien.

■ **Ouvrir dans une Nouvelle Fenêtre** : identique à la commande **Ouvrir**, mais permet d'ouvrir le document référencé par le lien dans une nouvelle fenêtre sans quitter la première.

■ **Enregistrer la cible sous** : permet d'enregistrer directement sur votre disque dur la page référencée par un lien sans qu'il soit nécessaire de l'afficher.

■ **Imprimer la cible** : permet d'imprimer directement la page référencée par un lien sans qu'il soit nécessaire de l'afficher.

■ **Établir en tant qu'élément d'arrière-plan** : lorsque vous visitez un site, vous pouvez trouver des images qui vous plaisent. Dès lors, rien ne vous interdit de les adopter comme papiers peints pour décorer votre Bureau. Il suffit de sélectionner cette option pour transformer instantanément votre environnement de travail.

■ **Copier le raccourci** : copie l'adresse d'un lien dans le Presse-papiers de Windows. De cette façon, vous pouvez l'insérer dans une autre application, votre logiciel de courrier électronique ou un traitement de texte par exemple.

■ **Ajouter aux favoris** : permet d'enregistrer directement l'adresse de la page courante sur la liste des favoris.

■ **Propriétés** : permet d'obtenir des informations sur la page que vous consultez. Lorsque cette commande s'applique à une image, vous pouvez connaître son volume et ses dimensions exactes.

Chapitre 2

Environnement
de navigation

Internet Explorer propose un nombre considérable de fonctions pour exploiter toutes les richesses du Web. Cela va de l'optimisation de la navigation jusqu'à l'exécution de séquences multimédias en tout genre.

Naviguer confortablement

Certaines fonctions d'Internet Explorer vous permettent d'optimiser le navigateur pour une utilisation plus confortable ou de faire des économies non négligeables en maîtrisant les coûts de communication. Mais pour en profiter, il convient de connaître les techniques appropriées.

Gérer le cache

Le cache de votre navigateur est incontestablement une fonctionnalité essentielle qui assure un confort de navigation dont il serait dommage de se priver. En outre, il représente un paramètre incontournable pour effectuer des économies sur le prix des connexions à Internet. De quelle façon ? C'est ce que nous allons voir dès maintenant.

Le rôle du cache

Le cache logiciel permet de sauvegarder dans un espace réservé du disque dur les données consultées sur un site. Pour revoir vos données, vous n'avez plus besoin de vous reconnecter en ligne pour transférer, dans le cas du navigateur, la page web correspondante. Internet Explorer récupère directement les données à partir de votre disque dur, ce qui représente deux atouts essentiels : l'affichage de la page est bien plus rapide puisque la connexion à un serveur est évitée et la possibilité de naviguer sans se connecter à Internet implique des économies qui peuvent être très intéressantes.

Toutefois, un cache n'a pas que des avantages. Dans certains cas, il constitue une source d'erreurs dont il faut se méfier. Ainsi, les informations d'une page peuvent être actualisées plusieurs fois par jour, et votre version mise en cache ne sera pas la dernière mise à jour. Vous devez donc paramétrer correctement votre cache.

Autre inconvénient : la fragmentation des données. Les fréquentes opérations d'enregistrement sur le cache impliquent une fragmentation des données. Cela signifie que les fichiers sont enregistrés à différents endroits du disque dur, et les temps d'accès sont plus longs.

Les clusters

Le cache d'Internet Explorer contient généralement des fichiers de très petites tailles (entre 1 ko et 10 ko). Or, ces derniers occuperont toujours un bloc entier de votre disque (ce bloc est appelé "cluster"), ce qui contribue au phénomène de fragmentation. Concrètement, avec les disques de forte capacité (offrant plusieurs gigaoctets d'espace de stockage), un cluster représente 16 ko, ce qui fait par exemple une perte de 14 ko pour le stockage d'un fichier de 2 ko.

En outre, lorsque vous enregistrez d'autres fichiers sur votre disque (logiciels, documents de travail, etc.), ces derniers peuvent également être fragmentés en fonction de l'occupation de votre cache, si les fichiers temporaires qu'il contient sont éparpillés sur votre disque. Là encore, pour remédier à ce type de problème, vous devrez paramétrer correctement votre cache.

Défragmentation

Le système Windows XP propose un outil spécifique pour défragmenter votre disque dur et remettre un peu d'ordre dans vos fichiers. Cette opération doit se faire régulièrement (une fois par mois par exemple) pour conserver des temps d'accès au disque optimaux.

1 Pour accéder au défragmenteur de Windows XP, sélectionnez la commande **Programmes\Accessoires\Outils système\Défragmenteur de disque** du menu **Démarrer** de la barre des tâches de Windows.

2 Dans la nouvelle boîte de dialogue qui s'affiche, sélectionnez votre disque dur et cliquez sur le bouton **Défragmenter**. Attendez ensuite la fin des opérations sans exécuter une seule application. ■

Paramétrer le cache

Vous devez paramétrer le cache en fonction de vos besoins et de votre environnement de travail.

1 Démarrez Internet Explorer et sélectionnez la commande **Options Internet** du menu **Outils**.

2 Dans la boîte de dialogue qui s'affiche, sous l'onglet **Général**, vous pouvez supprimer tous les fichiers du cache en cliquant sur le bouton **Supprimer les fichiers** de la section *Fichiers Internet temporaires*.

3 Pour configurer votre cache, cliquez sur le bouton **Paramètres** de la section *Fichiers Internet temporaires*.

4 Dans la boîte de dialogue **Paramètres**, vous allez pouvoir définir la façon dont le cache doit fonctionner. Quatre options vous permettent de vérifier s'il existe une nouvelle version de la page que vous souhaitez consulter.

■ L'option *A chaque visite de la page* permet de désactiver le cache et de ne pas utiliser cette fonctionnalité.

■ L'option *A chaque démarrage d'Internet Explorer* permet de vérifier les mises à jour des documents contenus dans le cache à chaque nouvelle exécution du navigateur.

■ L'option *Automatiquement* est probablement la meilleure solution car elle consiste à laisser Internet Explorer gérer le fonctionnement du cache lui-même.

■ L'option *Jamais* est la solution la plus rapide (utilisation systématique du cache), mais vous risquez d'afficher des documents non remis à jour sans vous en apercevoir.

5 Sous la section *Temporary Internet Files*, vous avez la possibilité de redéfinir la taille du cache et de déplacer son dossier. Notez que la place attribuée par défaut à votre cache représente 2 % de l'espace total de votre disque. Dès lors, si vous avez besoin de récupérer de l'espace, ou si vous utilisez fréquemment votre cache pour naviguer hors connexion, vous pouvez diminuer ou augmenter sa taille avec la barre de pourcentage prévue à cet effet.

6 Par défaut, le cache d'Internet Explorer est créé sur le disque C: dans le répertoire *Temporary Internet Files*. Pour éviter la fragmentation de ce disque, rien ne vous interdit de déplacer le cache sur un autre disque, réservé par exemple à toutes vos applications Internet. Cliquez sur le bouton **Déplacer le dossier** et sélectionnez un nouveau disque dans la boîte de dialogue qui s'affiche.

7 Pour visualiser le contenu du répertoire *Temporary Internet Files*, cliquez sur le bouton **Afficher les fichiers**.

8 Pour visualiser tous les programmes et autres documents que vous avez téléchargés sous le répertoire *C:\WINDOWS\Downloaded Program Files* par défaut, cliquez sur le bouton **Afficher les objets**.

9 Sous l'onglet **Général** de la boîte de dialogue **Options Internet**, vous pouvez également gérer l'historique d'Internet Explorer. Celui-ci désigne un fichier spécifique

où se trouvent enregistrées toutes les adresses des sites que vous visitez. Vous pouvez indiquer la durée de conservation de toutes ces adresses en inscrivant un nombre de jours dans le champ *Jours pendant lesquels ces pages sont conservées*. Cliquez sur le bouton **Effacer l'historique** si vous voulez supprimer toutes les adresses de la liste. ■

Naviguer hors connexion

Pour la plupart des utilisateurs qui ne disposent pas d'un accès permanent et illimité à Internet, la question du coût des communications n'est pas à négliger. Les fonctions permettant de réduire les temps de consultation en ligne ne sont pas sans intérêt et il convient de bien les comprendre pour les exploiter efficacement.

Le principe est de réduire le temps de connexion en téléchargeant rapidement les pages d'un site pour pouvoir les consulter ensuite hors ligne. La méthode repose sur un système d'abonnement au site que vous souhaitez visualiser hors connexion. L'abonnement est gratuit. Internet Explorer vérifie alors à votre place que les pages consultées ont été remises à jour depuis votre dernière visite. Le navigateur vous informe le cas échéant ou télécharge automatiquement le nouveau contenu si vous l'avez précisé pendant la procédure de personnalisation.

1 Pour s'abonner à un site, connectez-vous sur la page qui vous intéresse et sélectionnez la commande **Ajouter aux Favoris** du menu **Favoris**.

2 Dans la boîte de dialogue qui s'affiche, cochez l'option *Rendre disponible hors connexion* et cliquez sur le bouton **Personnaliser**.

3 Suivez les étapes de l'assistant pour déterminer les conditions de votre abonnement au site. Vous pouvez être informé des mises à jour d'un site de plusieurs façons (e-mail, message d'alerte, etc.) et Internet Explorer procède à sa vérification à chaque nouvelle connexion (ou déconnexion) en toute transparence. ■

Pour visualiser votre historique ou votre cache, et utiliser Internet Explorer en mode déconnecté, il ne faut pas oublier de lui spécifier que vous n'êtes pas connecté à Internet. Il suffit, dans votre navigateur, de sélectionner la commande **Travailler hors connexion** du menu **Fichier**.

Utiliser l'historique

En mode connecté ou non, vous serez souvent amené à utiliser l'historique de votre navigateur. Les adresses que vous avez visitées sont accessibles en trois emplacements : dans le dossier *Historique* sur votre disque dur, sur la liste déroulante de la barre d'adresses d'Internet Explorer et par les boutons **Précédente** et **Suivante** de la barre d'outils.

Concrètement, si vous souhaitez visualiser une page déjà affichée à partir de l'historique, plusieurs moyens s'offrent à vous.

1 À partir de la barre d'adresses d'Internet Explorer, cliquez sur la flèche pour ouvrir la liste déroulante. Comme vous pouvez le constater, une série d'adresses apparaît. Cliquez sur une de ces adresses pour afficher immédiatement la page correspondante dans la fenêtre principale d'Internet Explorer. Cela dit, gardez bien à l'esprit que celle-ci ne conserve en mémoire que les adresses que vous avez saisies, et non celles que vous avez visitées en cliquant sur des liens.

2 Autre méthode : cliquez sur le bouton **Historique** de la barre d'outils.

Cette fois-ci, le menu **Historique** s'affiche directement dans la fenêtre principale d'Internet Explorer, sous la forme d'un volet vertical. Comme vous pouvez le voir, les pages apparaissent dans un menu et il suffit de cliquer dessus pour les afficher dans le cadre droit.

Pour classer le contenu, en sélectionnez dans le volet de l'historique la commande **Affichage** et choisissez l'une des options proposées (par date, par site, par fréquence de visite (ordre décroissant) ou par ordre de visite du jour).

3 Les boutons **Précédente** et **Suivante** de la barre d'outils sauvegardent également votre historique sous la forme d'une liste déroulante. Cette liste n'est disponible que pendant votre session de travail et elle ne sera plus accessible lorsque vous aurez quitté Internet Explorer et que vous l'aurez redémarré. Notez également que cette liste ne peut contenir que neuf adresses, pas une de plus. Les nouvelles écraseront systématiquement les anciennes.

Pour accéder à cette liste, il suffit de cliquer sur la flèche qui apparaît dans le bouton **Précédente** ou **Suivante** de la barre d'outils, et de sélectionner l'un des sites proposés. ■

Astuce express

Si vous laissez le pointeur de votre souris sur le bouton **Précédente** ou **Suivante** de la barre d'outils, une info-bulle vous indique le site précédent ou suivant à visiter.

Personnaliser la navigation

Il existe plusieurs moyens de définir vos goûts en matière de navigation sur le Web avec Internet Explorer.

Définir les couleurs

Si vous trouvez que les goûts des créateurs de sites web laissent souvent à désirer, vous pouvez déterminer, pour tous les sites, la couleur du texte et de l'arrière-plan.

1 Démarrez Internet Explorer et sélectionnez la commande **Options Internet** du menu **Outils**.

2 Sous l'onglet **Général** de la boîte de dialogue qui vient de s'afficher, cliquez sur le bouton **Couleurs**.

3 Une nouvelle boîte de dialogue s'affiche. Par défaut, les couleurs du texte et du fond sont déterminées par Windows. Si vous souhaitez le faire à sa place, désactivez l'option *Utiliser les couleurs Windows* pour rendre opérationnel les deux palettes de couleurs accessibles par les boutons **Texte** et **Arrière-plan**.

4 Si aucune couleur ne vous convient, cliquez sur le bouton **Définir les couleurs personnalisées** pour composer celle de votre choix.

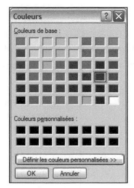 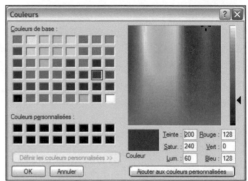

5 La section *Liens* propose également le même système de palettes, accessibles par les boutons **Visités** et **Non visités**, pour modifier la couleur des liens hypertextes sur une page. Ces derniers apparaissent par défaut en bleu lorsque vous n'avez pas encore cliqué dessus, et en mauve lorsque vous avez déjà affiché les pages vers lesquelles ils pointent. Si vous cochez l'option *Sélection par pointage*, vous pouvez déterminer une couleur spécifique qui mettra en évidence les liens d'une page web lorsque le pointeur de votre souris les survolera.

6 Retournez sous l'onglet **Général** de la boîte de dialogue **Options Internet** et cliquez cette fois-ci sur le bouton **Polices**.

7 La boîte de dialogue qui s'affiche permet de spécifier le type de police que vous souhaitez utiliser sur le Web et pour le texte (dans vos e-mails par exemple). La liste déroulante dédiée au Web propose une police à espacement proportionnel, ce qui signifie que chaque caractère occupe une largeur qui lui est propre. À l'inverse, la liste déroulante dédiée au texte propose une police à espacement fixe, où chaque caractère offre une taille identique.

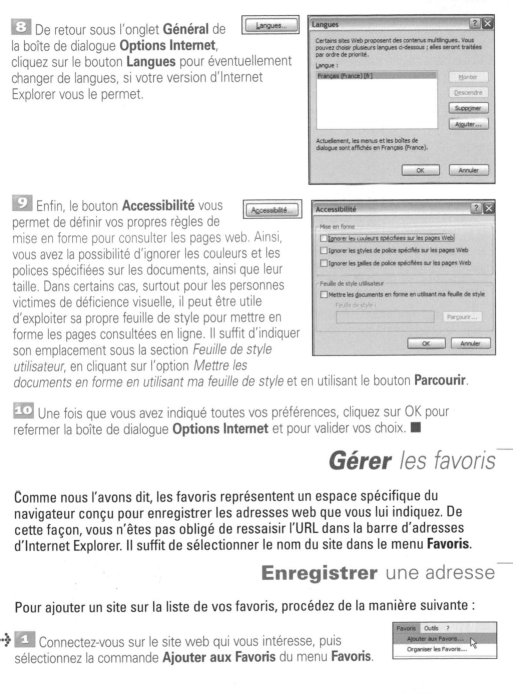

8 De retour sous l'onglet **Général** de la boîte de dialogue **Options Internet**, cliquez sur le bouton **Langues** pour éventuellement changer de langues, si votre version d'Internet Explorer vous le permet.

9 Enfin, le bouton **Accessibilité** vous permet de définir vos propres règles de mise en forme pour consulter les pages web. Ainsi, vous avez la possibilité d'ignorer les couleurs et les polices spécifiées sur les documents, ainsi que leur taille. Dans certains cas, surtout pour les personnes victimes de déficience visuelle, il peut être utile d'exploiter sa propre feuille de style pour mettre en forme les pages consultées en ligne. Il suffit d'indiquer son emplacement sous la section *Feuille de style utilisateur*, en cliquant sur l'option *Mettre les documents en forme en utilisant ma feuille de style* et en utilisant le bouton **Parcourir**.

10 Une fois que vous avez indiqué toutes vos préférences, cliquez sur OK pour refermer la boîte de dialogue **Options Internet** et pour valider vos choix. ■

Gérer les favoris

Comme nous l'avons dit, les favoris représentent un espace spécifique du navigateur conçu pour enregistrer les adresses web que vous lui indiquez. De cette façon, vous n'êtes pas obligé de ressaisir l'URL dans la barre d'adresses d'Internet Explorer. Il suffit de sélectionner le nom du site dans le menu **Favoris**.

Enregistrer une adresse

Pour ajouter un site sur la liste de vos favoris, procédez de la manière suivante :

1 Connectez-vous sur le site web qui vous intéresse, puis sélectionnez la commande **Ajouter aux Favoris** du menu **Favoris**.

2 Une boîte de dialogue vous demande une confirmation de votre choix. Validez par OK. Le nom du site est alors ajouté à la liste.

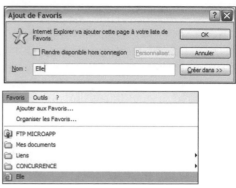

3 Pour retourner sur ce site, sélectionnez à nouveau le menu **Favoris**. Repérez le nom du site sur la liste. Un clic lance la connexion. ■

Organiser les favoris

1 À présent, sélectionnez le menu **Favoris** et cliquez sur la commande **Organiser les Favoris**.

2 Pour nettoyer la liste, si elle est devenue trop importante et difficile à gérer, sélectionnez les sites superflus et cliquez sur le bouton **Supprimer**.

3 Vous pouvez également créer des dossiers thématiques pour organiser toutes vos adresses. Sélectionnez le bouton **Créer un dossier** pour créer un nouveau dossier. Déplacez les sites appropriés en les sélectionnant avec votre souris et en les déposant dans le nouveau dossier, tout simplement. Vous organiserez ainsi la liste des adresses par catégories, ce qui vous permettra d'y voir plus clair.

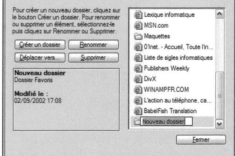

4 Notez que vous pouvez accéder à toutes les fonctionnalités de gestion des favoris en utilisant le volet du même nom. Il suffit de cliquer sur le bouton **Favoris** de la barre d'outils d'Internet Explorer pour afficher, dans un cadre à gauche de la fenêtre, la liste de vos adresses sous forme de dossiers et de raccourcis. ■

Recherche et multimédia
avec Internet Explorer

Pour une utilisation avancée de votre navigateur, Internet Explorer propose des fonctions spécifiques pour la recherche et le multimédia.

La *recherche*

La recherche constitue probablement l'activité la plus répandue parmi toute la communauté des internautes. En ce sens, il existe un nombre considérable d'outils de recherche sur le Web pour faciliter vos investigations. Mais avant d'en passer par eux, pourquoi ne pas utiliser ceux que vous propose Internet Explorer.

Une recherche intégrée

Pour profiter des fonctionnalités de recherche d'Internet Explorer, vous devez auparavant vous connecter à Internet car elle ne fonctionne pas en mode non connecté.

1 Démarrez votre navigateur et cliquez, dans la barre d'outils, sur le bouton **Rechercher**.

2 La fenêtre
d'Internet Explorer se
divise en deux. À
gauche prend place le
volet de recherche ou,
plus précisément, un
assistant de recherche.

3 Vous disposez ici de plusieurs options pour vos
recherches. La méthode la plus simple et la plus rapide
consiste à inscrire un ou plusieurs mots-clés dans le champ
Rechercher une page Web contenant et de cliquer sur le
bouton **Rechercher** pour lancer la requête. Le résultat est fourni par le service de MSN
Web Search.

4 Si vous cliquez sur l'option *Rechercher une carte*, pour
trouver une adresse précise dans une ville, vous affichez un
nouveau formulaire de recherche et les résultats sont
fournis cette fois-ci par Expedia.com.

5 Si vous cliquez sur l'option *Rechercher un mot*, pour trouver le sens d'un terme ou des définitions précises, vous affichez là encore un nouveau formulaire et les résultats sont fournis par l'encyclopédie en ligne Encarta.

> Choisissez une catégorie pour la recherche :
> ○ Rechercher une page Web
> ○ Recherches précédentes
> ○ Rechercher une carte
> ◉ **Rechercher un mot**
>
> Rechercher des informations sur :
>
> Proposé
> par Encarta   [Rechercher]

6 D'autres possibilités sont encore à votre disposition. Il suffit d'utiliser les liens proposés dans la section *Rechercher d'autres éléments*. Ainsi, si vous souhaitez effectuer une recherche sur votre

> Rechercher d'autres éléments :
> Fichiers ou dossiers
> Ordinateurs
> Personnes

disque dur, cliquez sur *Fichiers ou dossiers*. Si vous êtes connecté à un réseau local et que vous souhaitez trouver une machine particulière, utilisez alors le lien *Ordinateurs*. Enfin, pour lancer une recherche dans votre carnet d'adresses, cliquez sur *Personnes*. ■

Personnaliser vos recherches

Certains services de recherche proposés par défaut par Microsoft peuvent ne pas vous convenir. Dans ce cas, vous pouvez indiquer vos préférences.

1 À partir du volet de recherche, cliquez sur le bouton **Personnaliser**.

2 Une nouvelle fenêtre s'affiche. Vous pouvez rajouter de nouveaux outils de recherche selon les partenariats conclus par Microsoft. Comme vous pouvez le constater, et pour le moment, il n'existe pas beaucoup de services supplémentaires. Pour la recherche sur le Web, cochez les options *Nomade.fr* et *MSN Web Search*.

> **Personnaliser les paramètres de recherche**
>
> ◉ Utiliser l'Assistant Recherche - permet de personnaliser vos paramètres de recherche
> ○ Utiliser un service de recherche - permet de sélectionner un service de recherche unique
>
> ☑ **Rechercher une page Web**
> MSN Web Search   ☑ MSN Web Search
> Nomade.fr   ☑ Nomade.fr
>
> ☑ **Rechercher une carte**
> **Adresse :**
> Expedia.com   ☑ Expedia.com
>
> **Lieu :**
> Expedia.com   ☑ Expedia.com
>
> [Paramètres de recherche automatique]   [OK] [Annuler] [Réinitialiser]

3 Vous pouvez également activer, ou désactiver, l'option *Recherches précédentes* pour enregistrer vos dix dernières recherches et les retrouver facilement en sélectionnant l'option *Recherches précédentes* dans le volet **Recherche**.

4 Si vous souhaitez n'utiliser qu'un seul service de recherche pour toutes vos recherches, sans passer par l'assistant de recherche que vous venez de voir, cliquez sur l'option *Utiliser un service de recherche* et sélectionnez l'outil de recherche sur la liste correspondante. ■

Le multimédia

Avec le temps, le Web propose un contenu beaucoup plus riche qu'à ses débuts. Et pour en profiter, Internet Explorer a pensé à tout, notamment à intégrer dans son navigateur un lecteur multimédia.

Intégrer le Lecteur Windows Media

Sans quitter l'interface d'Internet Explorer, vous pouvez accéder à différents contenus multimédias.

1 Cliquez sur le bouton **Média** de la barre d'outils.

2 Le volet **Média** s'affiche dans l'interface d'Internet Explorer et vous propose plusieurs options. Cliquez sur le lien *Ma musique* pour afficher lo contcnu du répertoire *\Mes documents\Ma musique* de votre disque C. Cliquez sur le lien *Mes vidéos* pour afficher cette fois-ci le contenu du répertoire *\Mes documents\Mes vidéos* du disque C.

Pour les deux autres liens, vous devez être connecté à Internet.

3 Connectez-vous à Internet et cliquez, dans le volet **Média**, sur le lien *Autres médias*. La page des programmes du site WindowsMedia.com s'affiche immédiatement et vous propose le programme du jour : extraits de concerts, informations sous forme de séquences vidéo, interviews, etc. Vous l'avez compris, ici, le contenu

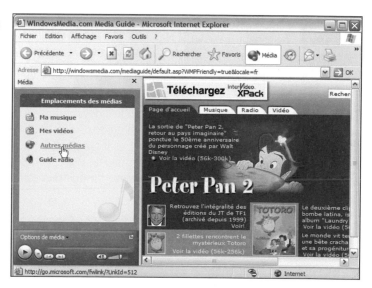

multimédia ne manque pas. Cela dit, pour en profiter dans les meilleures conditions, une connexion à haut débit (câble ou ADSL) est conseillée.

4 Cliquez à présent sur le lien *Guide radio* pour vous connecter à la page du même nom. Vous disposez ici d'un véritable tuner radio qui vous permet d'accéder à des centaines de stations disséminées dans le monde entier. Les radios proposées par défaut apparaissent dans un encadré spécifique à gauche de la page et, comme vous pouvez le constater, elles sont toutes françaises : France info, France Musique, BFM, etc. Bien entendu, rien ne vous interdit de rechercher d'autres sources radiophoniques. Vous disposez d'un moteur de recherche spécifique, sur cette même page, où vous pouvez lancer des requêtes thématiques en tapant des mots-clés : jazz, classique, politique, etc. Notez que ce service propose également un annuaire dont les catégories sont clairement identifiables : country, actualités, rock, top 40, etc. Bref, il y en a pour tous les goûts.

5 Comme vous avez pu le voir, le lecteur Windows Média apparaît dans la partie inférieure du volet. Il propose des boutons standard que l'on retrouve sur tous les autres lecteurs audio ou vidéo : play, avance rapide et retour rapide, pause, volume… Inutile de vous expliquer leur fonctionnement, vous vous y retrouverez immédiatement.

6 Cliquez sur le bouton **Options de média** pour accéder à certaines options du lecteur. Vous retrouvez ici les deux liens précédents, *Autres médias* et *Guide radio*, qui ne fonctionnent que si votre connexion Internet est active.

7 À partir du menu offert par le bouton **Options de média**, cliquez sur la commande **Paramètres**. Vous disposez ici de trois options.

■ *Lire le média Web dans la barre* : permet de visualiser une séquence vidéo ou d'écouter une séquence audio directement à partir du volet **Média** et non dans une fenêtre indépendante.

■ *Demander les types préférés* : lorsque vous ouvrez un fichier média récupéré sur le Web, le lecteur vous demande de confirmer que vous souhaitez l'ouvrir dans la barre de médias. Si vous répondez par l'affirmative, le type du fichier est enregistré. Lorsque vous ouvrirez de nouveau un fichier de ce type, il sera automatiquement exécuté dans le volet des médias.

■ *Réinitialiser les types préférés* : efface la liste des types de fichiers enregistrés. ■

Configurer le Lecteur

Comme vous l'avez vu, le Lecteur Windows Média ne demande aucun réglage particulier pour fonctionner immédiatement. Vous pouvez tout de même personnaliser certains éléments, et vérifier certains paramètres pour optimiser son fonctionnement. Commençons par le réglage du son.

1 Sélectionnez le Panneau de configuration à partir du menu **Démarrer/Panneau de configuration** de la barre des tâches de Windows.

2 Dans le Panneau de configuration, double-cliquez sur l'icône *Sons et périphériques*.

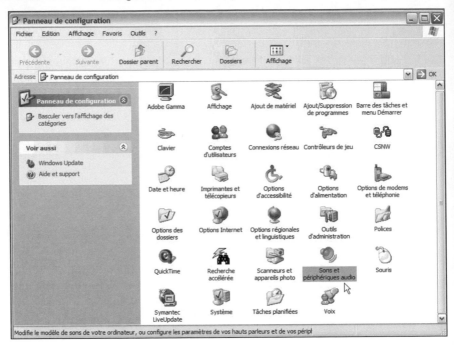

3 Sous l'onglet **Volume** de la nouvelle boîte de dialogue, vous pouvez régler le niveau sonore de la carte son. Vous pouvez également insérer l'icône du volume directement dans la barre des tâches de Windows en cochant l'option correspondante.

4 Dans la rubrique *Paramètres des haut-parleurs* de la fenêtre **Propriétés de Sons et périphériques audio**, cliquez sur le bouton **Volume des haut-parleurs**. Une nouvelle boîte de dialogue s'affiche dans laquelle vous pouvez régler séparément chaque enceinte. Cliquez sur OK pour retourner dans la boîte de dialogue initiale.

5 Toujours dans la rubrique *Paramètres des haut-parleurs*, cliquez cette fois-ci sur le bouton **Paramètres avancés** pour afficher une nouvelle boîte de dialogue. Vous pouvez y définir le type d'installation des haut-parleurs dont vous disposez. Windows reconnaît rarement les dispositifs quadriphoniques ou home cinéma (5.1), et vous avez la possibilité de le lui indiquer directement sur la liste déroulante correspondante. Notez que vous pouvez également baisser les réglages concernant les performances de votre matériel si vous rencontrez des problèmes avec votre installation. Validez ensuite la boîte de dialogue par OK.

6 L'onglet **Sons** permet d'égayer votre environnement de travail en associant différents sons à chaque événement (démarrage du système, réception d'un e-mail, etc.).

7 L'onglet **Audio** permet d'indiquer quel périphérique sera utilisé pour la lecture audio et MIDI, et l'enregistrement audio. Si vous disposez de plusieurs périphériques, vous pouvez spécifier celui que vous souhaitez utiliser en priorité. Si votre matériel n'apparaît pas ici, cela signifie que Windows ne l'a pas reconnu automatiquement. Vous devez alors installer manuellement les pilotes de son constructeur. Vous les trouverez sur le CD-Rom qui vous a été fourni avec votre matériel sonore.

8 Si vous disposez d'un micro et que vous souhaitez, par exemple, établir des sessions de visioconférence ou de téléphonie par Internet, l'onglet **Voix** devrait vous intéresser. Il permet d'indiquer, dans la première section, le périphérique à utiliser par défaut pour la lecture de la parole, tandis que la seconde section vous permet de spécifier l'unité à exploiter par défaut pour l'enregistrement de votre voix. Vous disposez d'un bouton **Test de votre matériel** bien utile pour effectuer les réglages.

9 Enfin, le dernier onglet, **Matériel**, liste tous les périphériques audio dont vous disposez sur votre système. Si certains sont absents, cela signifie que Windows ne les a pas reconnus automatiquement. Vous devez installer manuellement les pilotes de leurs constructeurs. Vous les trouverez sur le CD-Rom qui vous a été fourni avec votre matériel et votre logiciel. ■

Passons à présent à la configuration vidéo. La procédure consiste uniquement à vous assurer que vous disposez d'une qualité de couleur optimale pour lire les séquences vidéo dans les meilleures conditions.

···▶ **1** Ouvrez le Panneau de configuration par le module **Démarrer/Paramètres** de la barre des tâches.

2 Double-cliquez sur l'icône *Affichage* dans le Panneau de configuration.

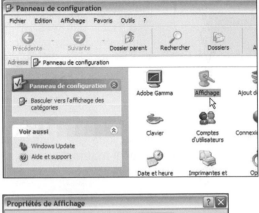

3 Sélectionnez l'onglet **Paramètres** dans la boîte de dialogue **Propriétés de Affichage**. Dans la section *Qualité couleur*, sélectionnez une option au moins égale ou supérieure à 24 bits si la configuration de votre matériel vous le permet. Validez ensuite par OK.

Le Lecteur Windows Média

Vous n'avez exploité pour le moment que le Lecteur Média intégré d'Internet Explorer. Or, le Lecteur Windows Média offre beaucoup plus de fonctions comme vous allez le voir à présent.

Pour lancer le Lecteur Windows Media, double-cliquez directement sur un fichier son ou vidéo. Le Lecteur se charge immédiatement et le fichier est instantanément exécuté.

Vous pouvez également démarrer le Lecteur en n'exécutant aucun fichier. Il vous suffit de sélectionner la commande appropriée en passant par le menu **Démarrer** de la barre des taches de Windows.

Sélectionnez **Programmes/Accessoires/ Divertissement** et **Lecteur Windows Media.**

■ Le Lecteur Windows Media propose sept fonctions principales qui apparaissent à gauche de la fenêtre dans un menu. Vous trouvez, dans la partie inférieure, les boutons de contrôle standard de tout lecteur audio ou vidéo : lecture, pause, stop, volume, etc. La première section du menu, **Lecture en cours**, permet

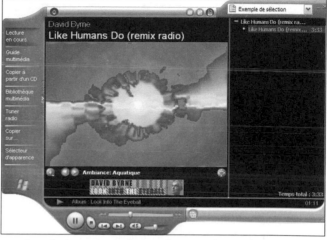

d'afficher une animation pendant la lecture de la musique, ou la pochette d'un disque, entre autres. Le cadre droit affiche les chansons à jouer, avec différentes informations : titre, durée, etc.

■ La commande **Guide multimédia** ne fonctionne que si votre connexion à Internet est active. Elle charge un contenu web, une sélection propre à Microsoft que nous avons présenté précédemment. Vous avez ainsi accès à différentes ressources multimédias directement à partir du Lecteur Windows Média sans passer par

Internet Explorer : musique, concert, clip vidéo, chaînes de radio, etc. Il suffit de cliquer sur les liens qui vous intéressent pour exécuter immédiatement la source proposée.

■ La commande **Copier à partir d'un CD** permet, comme son nom l'indique, de copier directement sur votre disque dur, à l'emplacement de votre choix, les plages musicales que vous aurez sélectionnées à partir d'un CD audio inséré dans votre lecteur CD. Il suffit de les sélectionner avec votre souris et de cliquer sur le bouton

Copier de la musique situé dans la partie supérieure de la fenêtre du Lecteur Windows Media.

■ Lorsque vous lancez pour la première fois le Lecteur Windows Media, la Bibliothèque Multimédia vous propose de rechercher automatiquement sur vos disques durs tous les fichiers son et vidéo que vous possédez. Nous vous conseillons de répondre par l'affirmative.

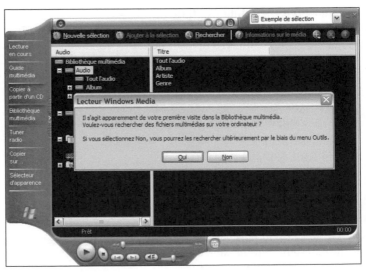

Après un certain laps de temps (tout dépend de la taille de vos lecteurs), le programme classe automatiquement tous vos fichiers multimédias par catégories : artiste, album, genre, clip, etc. Bien entendu, vous avez la possibilité de créer vos

propres sélections
en cliquant sur le
bouton **Nouvelle
sélection** et en lui
donnant un nom.
Ensuite, il vous suffit
de déplacer, avec
votre souris, les
fichiers qui vous
intéressent dans la
nouvelle catégorie.
Vous pouvez en
ajouter de nouveaux
en cliquant sur le
bouton, en haut de
la fenêtre à droite,
intitulé **Ajoute le**

media à la bibliothèque (icône représentant une croix). Pour exécuter un fichier, il
suffit de double-cliquer sur son nom.

■ La commande **Tuner radio** ne fonctionne que si vous êtes connecté à Internet.
Elle affiche exactement la même page que nous vous avions présentée avec le
Lecteur média intégré d'Internet Explorer. Vous disposez ici de nombreuses
chaînes de radio, toutes classées par catégories (rock, country, classique,
France, etc.).

Vous pouvez
effectuer des
recherches en
saisissant un mot-
clé dans le champ
conçu à cet effet.
Vous obtenez une
liste de radios
disponibles et il
ne vous reste plus
qu'à cliquer sur le
lien
correspondant
pour lancer
l'écoute.

■ La commande **Copier sur** ne vous sera utile que si vous possédez un graveur de CD. Sélectionnez des chansons sur votre disque dur, dans le cadre gauche, et cliquez sur le bouton **Copier la musique**, en haut et à droite de la fenêtre du Lecteur, pour démarrer instantanément la copie des fichiers sélectionnés.

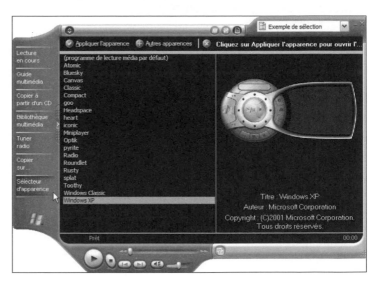

■ Enfin, la commande **Sélecteur d'apparence** permet de choisir une nouvelle interface pour votre lecteur. Microsoft vous en propose une bonne dizaine par défaut et vous pouvez en rajouter en cliquant sur le bouton **Autres apparences** ou en vous connectant directement à l'adresse http://windowsmedia.com/mediaguide/Gallery/Skins.asp.

Chapitre 3

Communiquer
avec Internet Explorer

Internet Explorer constitue une véritable suite logicielle pour Internet et Outlook Express fait partie de ses composants. Avec ce module, vous allez pouvoir accéder à votre messagerie et aux newsgroups en toute simplicité.

Outlook Express pour l'e-mail

Outlook Express a été adopté par la majorité des utilisateurs des systèmes Microsoft. Le programme est intégré par défaut dans Windows, au même titre qu'Internet Explorer. Cela dit, son succès s'explique également par sa convivialité et la puissance de ses fonctions.

Concrètement, la procédure d'installation et de mise à jour du logiciel s'effectue en même temps que celle d'Internet Explorer.

Vous pouvez vous reporter au chapitre « Premiers pas avec Internet Explorer » pour en savoir plus à ce sujet.

Passons sans plus attendre à sa prise en main.

Configurer Outlook Express

À la différence d'Internet Explorer, Outlook Express exige une procédure de configuration pour fonctionner. Heureusement, celle-ci est intuitive. Elle se déroule à travers une interface graphique qui ne vous posera aucune difficulté si vous prenez soin auparavant de vous procurer les informations nécessaires au paramétrage de votre compte e-mail.

Informations de messagerie

Pour créer votre compte e-mail, votre fournisseur d'accès Internet doit vous donner plusieurs informations : votre adresse e-mail, un login, un mot de passe et les adresses des serveurs SMTP et POP3 (ou IMAP).

Configurer Outlook Express

Outlook Express est accessible à
partir du menu
**Démarrer/Programmes/Outlook
Express** de la barre des tâches de
Windows ou à partir du menu **Outils/Courrier et News** d'Internet Explorer.

1 Après avoir démarré Outlook
Express, soit un assistant de
configuration apparaît, soit l'interface
principale du programme s'affiche.
Dans ce dernier cas, vous devez
lancer l'assistant de configuration
du compte de messagerie en activant
la commande **Comptes/Ajouter/
Courrier** du menu **Outils**. La première
étape du paramétrage consiste alors à
indiquer votre nom tel que vous
souhaitez qu'il apparaisse dans les
messages que vous enverrez. Cliquez
ensuite sur le bouton **Suivant**.

2 Dans la nouvelle fenêtre qui
s'affiche, cochez l'option *J'ai déjà une
adresse de messagerie que je veux
utiliser* pour configurer le compte e-
mail offert par votre fournisseur
d'accès Internet. Inscrivez ensuite
votre adresse e-mail dans le champ
Adresse de messagerie et cliquez sur
le bouton **Suivant**.

3 Saisissez dans la zone de texte *Serveur de messagerie pour courrier entrant* l'adresse du serveur POP3 ou IMAP de votre FAI. Ce serveur permet de recevoir votre courrier et il conserve tous vos messages en attendant que vous les téléchargiez sur votre ordinateur lorsque vous vous connectez à Internet. Indiquez ensuite, dans le second champ, l'adresse de votre serveur SMTP. À l'inverse du premier, celui-ci permet d'envoyer des messages à vos correspondants.

Assistant Connexion Internet   Commentaires ? ☒

Noms des serveurs de messagerie électronique

Mon serveur de messagerie pour courrier entrant est un serveur [POP3 ▾]

Serveur de messagerie pour courrier entrant (POP3, IMAP ou HTTP) :
pop.serveur.com

Un serveur SMTP est le type de serveur utilisé pour l'envoi de vos courriers sortants.
Serveur de messagerie pour courrier sortant (SMTP) :
smtp.serveur.com

[< Précédent] [Suivant >] [Annuler]

4 À l'étape suivante, saisissez votre identifiant (nom d'utilisateur qui vous identifie sur le serveur de votre FAI) et votre mot de passe de messagerie (ce n'est pas toujours le même que celui qui permet de vous connecter, vérifiez-le dans la documentation de votre FAI). Si vous ne voulez pas le saisir à chaque fois que vous devez retire votre courrier, cochez l'option *Mémoriser le mot de passe*. Cliquez sur **Suivant**.

Assistant Connexion Internet   Commentaires ? ☒

Connexion à la messagerie Internet

Entrez le nom et le mot de passe du compte que votre fournisseur de services Internet vous a donné.
Nom du compte :   oabou

Mot de passe :   ●●●●●●●●●●●●●
                    ☑ Mémoriser le mot de passe

Si votre fournisseur de services Internet vous demande d'utiliser le mot de passe sécurisé pour accéder à votre compte, sélectionnez la case à cocher « Se connecter avec l'authentification par mot de passe sécurisé ».
☐ Se connecter en utilisant l'authentification par mot de passe sécurisé (SPA)

[< Précédent] [Suivant >] [Annuler]

5 Pour enregistrer toutes les informations de votre compte de messagerie, et pour l'utiliser immédiatement, cliquez sur le bouton **Terminer**. ■

Assistant Connexion Internet   Commentaires ? ☒

Félicitations

Vous avez entré toutes les informations requises pour installer votre compte.
Pour enregistrer ces paramètres, cliquez sur Terminer.

[< Précédent] [Terminer] [Annuler]

Créer un compte gratuit

À partir de la version 6.0 d'Outlook Express, vous pouvez créer en toute simplicité des comptes de messagerie supplémentaires totalement gratuits. Vous disposez d'un assistant de configuration spécifique pour paramétrer et accéder à une boîte aux lettres Hotmail directement à partir d'Outlook Express.

Les petits plus d'Hotmail

Le service de messagerie Hotmail permet de créer gratuitement autant de comptes e-mail que vous le souhaitez. Outre les fonctionnalités standard d'un compte de messagerie (envoi et réception des messages), vous disposez d'un filtre antispam à configurer au niveau serveur pour limiter la réception des courriers publicitaires. Et, pour votre sécurité, Microsoft s'est associé à l'éditeur d'antivirus McAfee. Ainsi, vous profitez également d'une protection automatique contre les virus qui consiste en une analyse de tous les fichiers que l'on vous envoie.

1 Pour configurer un compte Hotmail, connectez-vous à Internet. Ensuite, démarrez Outlook Express et sélectionnez la commande **Comptes** du menu **Outils**.

2 Dans la nouvelle boîte de dialogue qui apparaît, cliquez sur le bouton **Ajouter** et sélectionnez la commande **Courrier** pour exécuter l'Assistant Connexion Internet que vous connaissez déjà. Par défaut, le programme vous propose de créer une nouvelle adresse Hotmail.

3 Saisissez votre nom qui apparaîtra dans les messages que vous enverrez et cliquez sur le bouton **Suivant**.

> **Assistant Connexion Internet**
>
> **Votre nom**
>
> Lors de l'envoi d'un courrier électronique, votre nom apparaît dans le champ De du message sortant. Entrez votre nom tel que vous voulez qu'il apparaisse.
>
> Nom complet : [Olivier Abou]
>
> Par exemple : Rosalie Mignon
>
> < Précédent   Suivant >   Annuler

4 L'assistant de configuration vous propose une adresse Hotmail construite à partir du nom que vous venez d'indiquer. Bien entendu, rien ne vous interdit d'en indiquer une autre si celle-ci ne vous convient pas. Toutefois, veillez à ne pas modifier le nom de domaine (hotmail.com). Cliquez sur **Suivant**.

> **Assistant Connexion Internet**
>
> **Adresse de messagerie Internet**
>
> Votre adresse de messagerie est celle que vos correspondants utilisent pour vous envoyer des messages.
>
> Adresse de messagerie : [oabou@hotmail.Com]
>
> Par exemple : personne@microsoft.com
>
> < Précédent   Suivant >   Annuler

5 Sélectionnez l'entrée *HTTP* sur la liste déroulante *Mon serveur de messagerie pour courrier entrant est un serveur*. Dans le deuxième champ, *Mon fournisseur de messagerie HTTP est*, sélectionnez l'entrée *Hotmail*. Cliquez sur le bouton **Suivant**.

> **Assistant Connexion Internet**
>
> **Noms des serveurs de messagerie électronique**
>
> Mon serveur de messagerie pour courrier entrant est un serveur [HTTP]
>
> Mon fournisseur de messagerie HTTP est [Hotmail]
>
> Serveur de messagerie pour courrier entrant (POP3, IMAP ou HTTP) :
> http://services.msn.com/svcs/hotmail/httpmail.asp
>
> Un serveur SMTP est le type de serveur utilisé pour l'envoi de vos courriers sortants.
>
> Serveur de messagerie pour courrier sortant (SMTP) :
>
> < Précédent   Suivant >   Annuler

6 À présent, indiquez votre nom d'utilisateur (c'est-à-dire votre adresse e-mail complète sans oublier le domaine hotmail.com) et un mot de passe de votre choix (de plus de huit caractères). Si vous voulez éviter de le saisir à chaque nouvelle connexion, cochez l'option *Mémoriser le mot de passe*. Cliquez sur **Suivant**.

7 Le paramétrage de votre compte de messagerie gratuit est terminé. Refermez la fenêtre de l'assistant en cliquant sur le bouton **Terminer** et validez toutes les informations en cliquant sur le bouton **Fermer** de la première boîte de dialogue. Immédiatement après, un message s'affiche pour vous proposer de télécharger, à partir du serveur d'Hotmail, les dossiers prédéfinis de votre compte, qui serviront à classer vos messages. Pour accepter l'opération, cliquez sur **Oui**.

8 Notez que la procédure de transfert peut prendre un temps non négligeable, en fonction de la puissance de votre connexion et de la charge du serveur Hotmail. Soyez patient !

9 Au terme de ce téléchargement, plusieurs nouveaux dossiers apparaissent dans le cadre gauche de l'interface principale d'Outlook Express.

■ *Boîte de réception* : tous les messages que vous téléchargez sont stockés ici.

■ *Éléments envoyés* : sauvegarde une copie de tous les messages envoyés.

■ *Éléments supprimés* : sauvegarde une copie des messages effacés.

■ *Courrier indésirable* : isole automatiquement tous les messages publicitaires non désirés.

■ *Brouillon* : stocke les messages à modifier avant de les envoyer.

■ *Avertissement MSN* : réception des notifications du service. ■

Comme vous venez de le constater, la création d'un compte e-mail gratuit ne pose aucune difficulté. Si vous souhaitez en créer d'autres (pour tous les membres de votre famille par exemple), ne vous en privez pas !

Créer des dossiers

La création de dossiers supplémentaires, pour classer vos messages, constitue une étape essentielle dans la configuration d'Outlook Express. Les dossiers prédéfinis ne représentent pas une bonne solution pour ordonner correctement votre messagerie, surtout si vous vous inscrivez sur des listes de diffusion (certaines peuvent générer plusieurs dizaines de messages par jour) ou si vous mélangez votre correspondance privée et professionnelle. Bref, il convient de structurer votre messagerie pour ne pas être noyé par le flot de messages que vous risquez de recevoir.

1 Sélectionnez dans le cadre gauche intitulé **Dossiers**, avec le bouton droit de la souris, le tout premier dossier de votre compte, appelé *Hotmail*. Activez ensuite la commande **Nouveau dossier** à partir du menu contextuel.

2 Dans la nouvelle boîte de dialogue qui apparaît, saisissez le nom du nouveau dossier. Pour créer un sous-dossier, vous pouvez sélectionner, dans le cadre inférieur qui reproduit toute l'arborescence de vos dossiers de messagerie, un dossier où sera stocké celui que vous créez. Cliquez ensuite sur OK pour valider votre choix.

3 Vous disposez désormais dans le cadre gauche de l'interface d'Outlook Express d'un nouveau dossier pour classer vos messages. ■

Bien entendu, et selon vos besoins, rien ne vous interdit de créer plusieurs autres dossiers pour optimiser votre classement.

Créer un carnet d'adresses

Dernière étape de la configuration d'Outlook Express : la création d'un carnet
d'adresses pour stocker toutes les coordonnées de vos correspondants. Cette
fonctionnalité bien utile est également un moyen de limiter les erreurs de
transmission. Les fautes lors de la saisie des adresses électroniques représentent
l'une des raisons principales d'un échec lors de l'envoi d'un message sur Internet.
Et l'utilisation d'un carnet permet justement d'éviter la saisie des adresses. Dès
lors, ne négligez pas ce module offert par Outlook Express et qui est très simple à
mettre en œuvre.

Dans un premier temps, votre carnet d'adresses ne contient aucune adresse
électronique. Il s'agit de le remplir.

1 Démarrez Outlook Express et sélectionnez la
commande **Carnet d'adresses** du menu **Outils**. Le
carnet d'adresses apparaît immédiatement.

2 Cliquez sur le bouton **Nouveau** et activez l'option *Nouveau contact*
pour enregistrer les coordonnées de votre premier correspondant dans
le carnet d'adresses.

3 Dans la boîte de dialogue qui
s'affiche, indiquez le nom et le
prénom de votre correspondant,
son adresse e-mail et un
pseudonyme (facultatif). Cliquez
sur le bouton **Ajouter** et, si vous
le souhaitez, vous pouvez utiliser
les autres onglets pour inscrire
des informations
supplémentaires.

4 Dans un cadre professionnel, les onglets **Domicile** et **Bureau** peuvent vous être utiles. Ils permettent effectivement d'inscrire les adresses de votre correspondant dans ces différents endroits.

5 Votre carnet d'adresses peut également servir de pense-bête comme l'illustre l'onglet **Personnel** qui permet de spécifier des informations d'ordre familial ou des dates à ne pas oublier (anniversaire, par exemple).

6 L'onglet **Autre** permet de saisir des commentaires libres à l'instar d'un bloc-notes.

7 Les deux derniers onglets permettent de spécifier les coordonnées NetMeeting (visioconférence et dialogue en temps réel) et d'indiquer les références d'un certificat de signature numérique pour authentifier les messages de votre correspondant.

8 Validez à présent toutes ces informations par OK ct refermez le carnet d'adresses pour retourner dans la fenêtre principale d'Outlook Express. Votre nouveau contact est désormais disponible dans le cadre gauche. ■

Pour envoyer un message à l'un de vos contacts, il suffit de double-cliquer sur son nom. La fenêtre d'édition des messages apparaît instantanément et le champ du destinataire est automatiquement rempli par le nom de votre correspondant. Il n'est donc plus nécessaire de saisir son adresse manuellement.

Il existe encore une méthode plus rapide pour enregistrer l'adresse d'un de vos correspondants dans votre carnet d'adresses.

1 Au moment d'envoyer un message, ou lorsque vous en recevez un, cliquez avec le bouton droit de la souris sur le nom de votre correspondant à partir de la fenêtre des messages et sélectionnez dans le menu contextuel la commande **Ajouter au carnet d'adresses**.

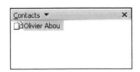

2 Votre carnet d'adresses
s'affiche immédiatement avec
une nouvelle fiche attribuée à
votre contact (son nom et son
adresse ont déjà été repris
automatiquement dans les
champs correspondants). Si vous
le souhaitez, vous pouvez remplir
manuellement les différents
champs des autres onglets,
comme nous venons de vous le
montrer. ■

Propriétés de GossipFlash

Résumé | Nom | Domicile | Bureau | Personnel | Autre | NetMeeting | Identificateurs numériques

Entrez ici le nom et l'adresse de messagerie de ce contact.

Prénom : GossipFlash   Deuxième prénom :   Nom :

Fonction :   Afficher : GossipFlash   Surnom :

Adresses de messagerie :   Ajouter

Offers@gossipflash.com (Courrier par défaut)   Modifier
Supprimer
Par défaut

Envoyer des messages électroniques en texte brut uniquement.

OK   Annuler

Envoyer et recevoir des messages

Maintenant que votre messagerie est correctement configurée dans Outlook
Express, voyons comment l'exploiter pour la réception et la transmission de toute
votre correspondance par Internet.

À l'instar du courrier postal, l'e-mail contient un en-tête composé de plusieurs
champs qui permettent de connaître, entre autres, votre adresse et celle du
destinataire. Mieux vaut alors les connaître pour mieux comprendre les principes
d'expédition et de transmission des messages.

De plus, comme vous allez le voir, certains champs de l'en-tête doivent être
impérativement remplis par l'expéditeur. Les autres, que nous n'aborderons pas,
sont automatiquement renseignés par des serveurs et sont utiles pour le
déroulement de la transmission (et éventuellement pour les administrateurs réseau
qui doivent déboguer la configuration de leur messagerie).

Rédiger un message

Les champs de l'en-tête à remplir par l'expéditeur apparaissent dans Outlook Express en haut de la fenêtre d'édition des messages. Voyons comment les remplir.

1 Démarrez Outlook Express et cliquez sur le bouton **Écrire un message** dans la barre d'outils. La fenêtre de rédaction des nouveaux messages apparaît immédiatement.

2 Par défaut, seuls trois champs sont accessibles. Pour obtenir le quatrième, sélectionnez la commande **Tous les en-têtes** du menu **Affichage**.

3 Vous disposez à présent d'un champ supplémentaire, intitulé *Cci*, dans l'en-tête du message. Vous allez bientôt découvrir son rôle au moment d'envoyer votre message.

4 Le champ *A* (ou *To* en anglais) permet d'indiquer l'adresse électronique de votre correspondant.

> **Astuce express**
>
> En cliquant sur le champ *A*, le carnet d'adresses s'affiche instantanément. Il suffit ensuite de sélectionner le nom de votre contact (ou les noms pour envoyer votre message à plusieurs personnes) pour remplir automatiquement le champ *A*.

> **Plusieurs destinataires**
>
> Pour envoyer votre message à plusieurs correspondants, il est inutile de rédiger de nouveaux messages. Il suffit d'inscrire leurs adresses les unes à la suite des autres en les séparant par une virgule.

5 À l'inverse du champ *A*, le champ *Objet* est

`Objet :` `Mon premier message`

facultatif. Il est conçu pour indiquer le sujet de votre message et, même s'il n'est pas obligatoire, mieux vaut ne pas l'oublier pour la lisibilité de votre correspondance. Vos interlocuteurs vous en seront reconnaissants.

6 Le champ *Cc* (pour *Carbon copy*) permet d'envoyer

`Cc :` `fred@mars.com`

une copie du message à un ou à plusieurs autres destinataires. À l'instar du champ *A*, il suffit d'inscrire leurs adresses e-mail en les séparant d'une virgule.

7 Enfin, le champ *Cci*, permet d'envoyer votre

`Cci :` `delph@net.com`

message à d'autres destinataires en cachant leurs adresses, que vous inscrirez ici, lorsque vos correspondants recevront votre e-mail. ■

Après avoir rempli les champs d'en-tête, il ne vous reste plus qu'à saisir votre message dans l'espace conçu à cet effet et à cliquer sur le bouton **Envoyer** de la barre d'outils. C'est aussi simple que cela.

Répondre et faire suivre

Autres méthodes pour envoyer un message : la réponse et la retransmission.

1 Répondre à un message se fait en toute simplicité grâce à la commande **Répondre** accessible dans la

barre d'outils. Concrètement, lorsque vous lisez un e-mail dans la fenêtre principale d'Outlook Express, cliquez sur le bouton **Répondre** de la barre d'outils pour ouvrir la fenêtre d'édition des messages. L'objet de votre e-mail sera précédé de l'abréviation RE.

Plusieurs correspondants

Lorsque le message a été transmis à plusieurs destinataires, dont vous faites partie, vous pouvez cliquer sur le bouton **Répondre à tous** pour envoyer votre réponse à tous les correspondants.

2 Le message initial a été repris dans le corps de votre réponse. Il suffit de rédiger votre réponse et de cliquer sur le bouton **Envoyer**. ■

Re: Quit Smoking in ONE WEEK - Guaranteed! (226142)

Fichier   Edition   Affichage   Insertion   Format   Outils   Message   ?

Envoyer   Couper   Copier   Coller   Annuler   Joindre   Priorité

À : florence10956@netc.pt
Cc :
Cci :
Objet : Re: Quit Smoking in ONE WEEK - Guaranteed! (226142)

Votre réponse ici...

----- Original Message -----
From: <florence10956@netc.pt>
To: "Optin" <bonofr@hotmail.com>
Sent: Tuesday, April 16, 2002 11:38 AM
Subject: Quit Smoking in ONE WEEK - Guaranteed! (226142)

> *** Be a Non-Smoker in as little as 7 Days !!! ***
> With Finally-Free

La seconde méthode consiste à faire suivre le message reçu à d'autres correspondants, en y ajoutant éventuellement un commentaire. L'objet de votre e-mail sera précédé de l'abréviation FW.

1 Lorsque vous lisez un e-mail dans la fenêtre principale d'Outlook Express, cliquez sur le bouton **Transférer** de la barre d'outils.

2 La fenêtre d'édition des messages s'ouvre, mais, à la différence d'une réponse, vous devez inscrire vous-même les adresses électroniques des destinataires. Si vous le souhaitez, vous pouvez inscrire votre commentaire dans le corps de l'e-mail, voire modifier le contenu original du message. ■

```
Fw: Quit Smoking in ONE WEEK - Guaranteed! (226142)

Fichier   Edition   Affichage   Insertion   Format   Outils   Message   ?

  Envoyer    Couper    Copier    Coller    Annuler    Joindre    Priorité

À :
Cc :
Cci :
Objet :   Fw: Quit Smoking in ONE WEEK - Guaranteed! (226142)

----- Original Message -----
From: <florence10956@netc.pt>
To: "Optin" <bonofr@hotmail.com>
Sent: Tuesday, April 16, 2002 11:38 AM
Subject: Quit Smoking in ONE WEEK - Guaranteed! (226142)

> *** Be a Non-Smoker in as little as 7 Days !!! ***
> With Finally-Free
>
```

Envoyer des pièces jointes

Rien ne vous interdit d'envoyer un fichier binaire avec votre message, c'est-à-dire une image, du son, un logiciel, un document Word, une feuille de calcul Excel, etc. La procédure s'effectue en toute transparence puisque Outlook Express convertit automatiquement la pièce jointe au format texte pour la transmettre par e-mail. Lorsque votre correspondant la recevra ensuite, son programme de messagerie effectuera également une conversion pour récupérer le fichier dans son format original.

1 Pour envoyer un fichier attaché, cliquez comme d'habitude sur le bouton **Écrire un message** d'Outlook Express.

2 Remplissez les champs d'en-tête (destinataire, objet…) et saisissez le texte de votre message. Cliquez ensuite sur le bouton **Joindre**.

3 Dans la boîte de dialogue qui s'affiche, sélectionnez le fichier à joindre au message et cliquez sur le bouton **Joindre**.

Vous pouvez ensuite répéter cette opération si vous devez envoyer plusieurs fichiers. Au terme de cette procédure, une nouvelle ligne apparaît dans l'en-tête de votre message pour spécifier le nom des fichiers attachés. Il ne vous reste plus qu'à cliquer sur le bouton **Envoyer**. ■

Recevoir des messages

Passons à présent à la procédure de réception des e-mails.

Recevoir les messages

Pour recevoir vos messages, vous devez vous connecter sur le serveur POP3 ou IMAP de votre fournisseur d'accès Internet. La procédure ne représente aucune difficulté si vous avez configuré correctement Outlook Express.

1 Démarrez Outlook Express et cliquez sur le bouton **Envoyer et recevoir tout** de la barre d'outils. De cette façon, vous envoyez d'abord les messages qui sont dans la file d'attente et, ensuite, vous transférerez vos e-mails à partir du serveur du FAI.

2 Pour éviter d'envoyer des messages en retirant ceux que l'on vous a envoyés, cliquez sur la flèche du bouton **Envoyer et recevoir tout** et sélectionnez l'une des commandes proposées.

La commande **Recevoir tout** télécharge votre courrier tandis que la commande **Envoyer tout** permet de l'envoyer uniquement.

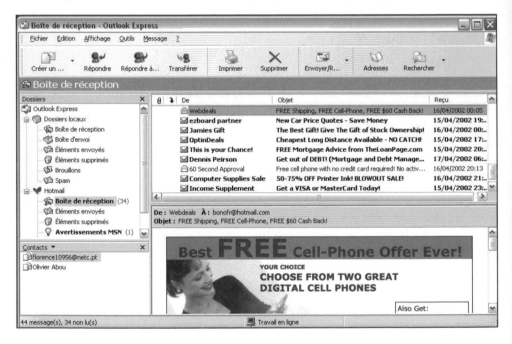

3 Une fois récupéré, tous les nouveaux messages apparaissent dans le dossier intitulé *Boîte de réception*. Le cadre supérieur affiche, pour chaque e-mail, le nom de l'expéditeur, son sujet et la date de réception. Pour consulter son contenu dans le cadre inférieur, cliquez sur l'intitulé de l'un d'eux. Si ce dernier intègre une pièce jointe, la colonne qui contient l'icône d'un trombone permettra de le savoir. ■

Classer les messages

Comme vous l'avez appris précédemment, vous avez créé des dossiers pour classer plus efficacement votre courrier. Voyons alors comment déplacer vos messages dans vos nouveaux dossiers. Celui-ci s'effectue naturellement avec votre souris.

1 Sélectionnez l'intitulé du message que vous souhaitez déplacer dans le cadre supérieur d'Outlook Express.

2 Tout en maintenant le bouton gauche de la souris enfoncé, déplacez le pointeur sur le dossier où vous souhaitez déplacer le message.

3 Relâchez le bouton de la souris. Votre message est désormais stocké dans le nouveau dossier.

4 Autre méthode : cliquez sur un message avec le bouton droit de la souris et sélectionnez l'une des commandes proposées dans le menu contextuel : pour stocker un message dans un nouveau dossier en l'effaçant de l'emplacement initial, utilisez la commande **Déplacer vers un dossier**. À l'inverse, la commande **Copier dans un dossier** crée une copie du message initial dans le nouveau dossier.

5 Dans les deux cas, une boîte de dialogue s'affiche pour spécifier le dossier où vous souhaitez déplacer ou copier le message sélectionné. Cliquez sur le nouveau dossier et validez par OK. ■

Classer automatiquement les messages

Selon le nombre de messages que vous recevez quotidiennement, le classement manuel du courrier peut devenir laborieux. C'est pourquoi, Outlook Express propose des filtres pour effectuer cette opération automatiquement.

1 Dans Outlook Express, sélectionnez la commande **Règles de message/Courrier** du menu **Outils**.

2 Lors de la création de vos premières règles, une boîte de dialogue spécifique apparaît. Cliquez sur **Nouveau**.

3 Sous la première section, cochez la case *Lorsque la ligne De contient...* et cliquez sur l'option *des personnes* dans le cadre intitulé **Description de la règle**.

4 Indiquez à présent les adresses e-mail des expéditeurs dont vous souhaitez classer automatiquement les messages dans certains dossiers. Cliquez sur le bouton **Ajouter** entre chacune d'elles.

5 Retournez dans la boîte de dialogue précédente en cliquant sur OK et cochez l'option *Le déplacer vers le dossier spécifié* présente dans le second cadre.

6 Cliquez sur le lien *Le déplacer vers le dossier spécifié*, sélectionnez l'un de vos nouveaux dossiers et validez avec le bouton OK.

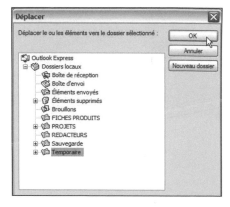

7 Dans la quatrième section de la boîte de dialogue, spécifiez un nom pour identifier votre règle et validez par OK. ∎

Dorénavant, dès que vous recevrez un message dont l'adresse de l'expéditeur correspond à l'une de celles qui sont inscrites dans votre règle, il sera automatiquement stocké dans le dossier correspondant.

Comme vous avez pu le constater, il existe encore plusieurs autres actions (supprimer, faire suivre à un autre destinataire, etc.) ou critères disponibles (mots-clés dans le message, termes spécifiques dans le sujet, etc.). N'hésitez pas à les adopter si nécessaire.

Règle de classement

L'ordre des règles est essentiel dans Outlook Express car elles sont traitées de haut en bas. Dans ces conditions, leur analyse et leur exécution s'arrêtent dès que le programme trouve une condition correspondant au message reçu (expéditeur identique, par exemple). C'est pourquoi, vous disposez des boutons **Monter** et **Descendre** pour modifier leur ordre d'apparition et de traitement.

Sauvegarder les messages

Avec le temps, le contenu de votre messagerie contiendra probablement des données essentielles et il faudra alors songer à les sauvegarder.

1 Démarrez Outlook Express et sélectionnez le message que vous souhaitez sauvegarder.

2 Sélectionnez la commande **Enregistrer sous** du menu **Fichier**.

Fichier	Edition	Affichage	Outils	Message	?
Nouveau					▶
Ouvrir				Ctrl+O	
Enregistrer sous...					
Enregistrer les pièces jointes...					
Enregistrer comme papier à lettres...					
Dossier					▶
Importer					▶
Exporter					▶
Imprimer...				Ctrl+P	
Changer d'identité...					
Identités					▶
Propriétés				Alt+Entrée	
Travailler hors connexion					
Quitter et se déconnecter					
Quitter					

3 Dans la nouvelle boîte de dialogue qui s'affiche, sélectionnez, à partir de la liste déroulante **Type**, l'un des trois formats de sauvegarde proposé. Le premier, *.eml*, correspond au format originel d'Outlook Express, tandis que le second désigne un format texte simple. Enfin, le troisième, correspond à un format texte Unicode qui pourra être lu sans difficulté dans d'autres environnements (Macintosh, par exemple). ■

Notez que la commande **Exporter/Messages** du menu **Fichier** permet d'enregistrer tous vos messages pour les exploiter ensuite dans l'une des deux applications suivantes : Microsoft Outlook et Microsoft Exchange.

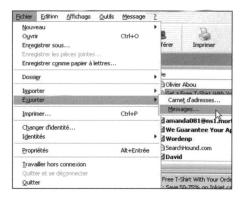

Sauvegarder les pièces jointes

Lorsque vous recevrez un fichier attaché à un message, vous devrez probablement le sauvegarder sur votre disque. Les messages qui contiennent une pièce jointe sont précédés, dans Outlook Express, d'une icône représentant un trombone.

···▶ **1** Sélectionnez le message qui contient le fichier à enregistrer et, dans la section inférieure de la fenêtre principale d'Outlook Express, cliquez sur l'icône du trombone.

2 Un menu déroulant vous donne le nom du fichier et sa taille. Sélectionnez la commande **Enregistrer les pièces jointes**.

3 Dans la boîte de dialogue qui apparaît, cliquez sur le bouton **Parcourir** pour sélectionner le dossier qui stockera le fichier joint. Cliquez ensuite sur le bouton **Enregistrer**. ■

Autre méthode :

···▶ **1** Sélectionnez le message qui vous intéresse.

2 Sélectionnez la commande **Enregistrer les pièces jointes** du menu **Fichier**.

3 La boîte de dialogue **Enregistrer les pièces jointes**, que vous connaissez déjà, apparaît. Sélectionnez le dossier dans lequel vous voulez sauvegarder le fichier et cliquez sur **Enregistrer**. ■

Outlook Express pour les newsgroups

Les newsgroups (que l'on appelle aussi Usenet) représentent des groupes de discussion thématiques relayés par Internet. Les messages que l'on s'y échange, au format texte, s'intitulent "articles" ou "contributions".

Outlook Express, comme vous allez le voir, propose tout ce qu'il faut pour accéder à ces espaces de discussion. Mais, à l'instar de l'e-mail, vous allez devoir auparavant configurer votre programme.

Configurer Outlook Express pour les news

Pour configurer votre lecteur de news, il est nécessaire de posséder deux informations essentielles : l'adresse de votre serveur de news, qui sera du type news.fournisseur.fr ou nntp.fournisseur.fr (demandez-la à votre FAI si vous ne la connaissez pas) et votre adresse e-mail.

Les paramètres à enregistrer

Si vous disposez de toutes ces informations, vous pouvez alors commencer.

1 Démarrez Outlook Express et sélectionnez la commande **Comptes** du menu **Outils**.

2 Dans la nouvelle boîte de dialogue qui s'affiche, activez l'onglet **News** et sélectionnez la commande **Ajouter/News**.

3 Saisissez le nom sous lequel vous souhaitez apparaître lorsque vous postez un article sur Usenet. Notez que vous pouvez choisir un pseudonyme à la place de votre véritable nom pour rester anonyme.

4 À l'étape suivante, indiquez votre adresse e-mail pour que les gens puissent vous répondre directement par le biais de votre serveur de messagerie, sans passer par les forums Usenet. Là encore, vous n'êtes pas obligé d'inscrire votre véritable adresse de courrier électronique. Il faut effectivement savoir que des outils logiciels permettent de récupérer automatiquement toutes les adresses e-mail contenues dans les contributions Usenet. L'intérêt ? Constituer des fichiers clients pour envoyer ensuite des mailings publicitaires (le spam désigne le courrier publicitaire non sollicité par e-mail).

5 Après avoir cliqué sur **Suivant**, inscrivez l'adresse du serveur de news de votre fournisseur d'accès Internet et désactivez l'option *Connexion à mon serveur de News requise*, sauf si votre FAI vous indique le contraire.

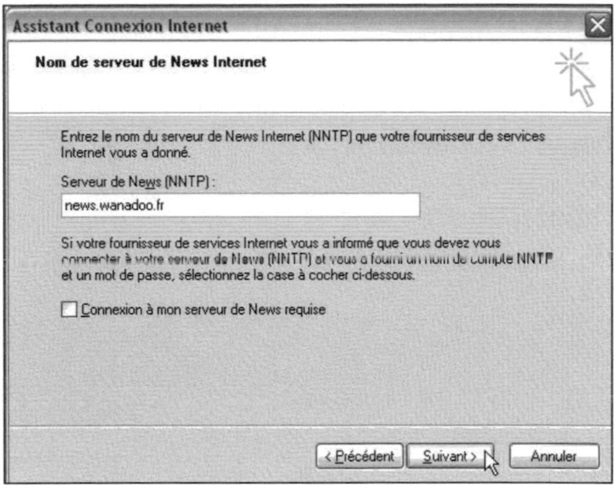

Assistant Connexion Internet

Nom de serveur de News Internet

Entrez le nom du serveur de News Internet (NNTP) que votre fournisseur de services Internet vous a donné.

Serveur de News (NNTP) :

news.wanadoo.fr

Si votre fournisseur de services Internet vous a informé que vous devez vous connecter à votre serveur de News (NNTP) et vous a fourni un nom de compte NNTP et un mot de passe, sélectionnez la case à cocher ci-dessous.

☐ Connexion à mon serveur de News requise

< Précédent Suivant > Annuler

6 Validez à présent toutes ces informations en cliquant sur le bouton **Terminer**. ■

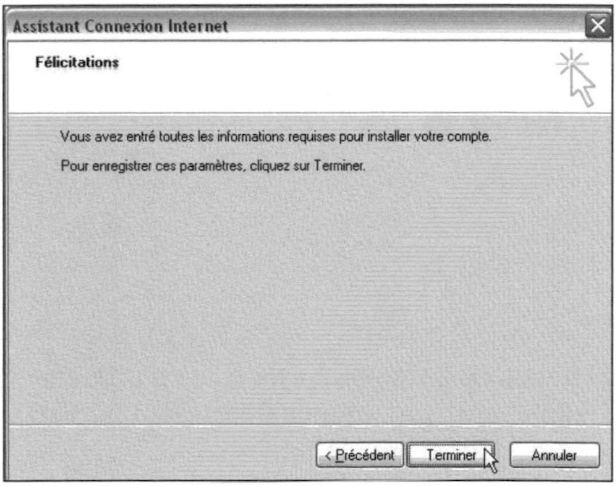

Assistant Connexion Internet

Félicitations

Vous avez entré toutes les informations requises pour installer votre compte.

Pour enregistrer ces paramètres, cliquez sur Terminer.

< Précédent Terminer Annuler

Configurer les messages

Usenet ne prend pas en charge le format HTML et vous ne pourrez pas l'adopter pour mettre en forme vos messages dans vos échanges. Vous devez vérifier le format d'envoi de vos contributions pour éviter tout dysfonctionnement.

1 Démarrez Outlook Express et sélectionnez la commande **Comptes** du menu **Outils**.

2 À partir de l'onglet **News**, sélectionnez le compte que vous venez de créer et cliquez sur le bouton **Propriétés**.

3 Une nouvelle boîte de dialogue apparaît. Sélectionnez l'onglet **Avancé** et cochez les options *Ignorer le format d'envoi des News et poster en utilisant* et *Texte brut*. Validez par OK et refermez la première fenêtre en cliquant sur **Fermer**. ■

Une fois ce paramètre validé, les portes de Usenet vous sont grandes ouvertes.

S'abonner aux groupes de discussion

Pour accéder aux newsgroups, la première étape consiste à télécharger tous les intitulés des groupes disponibles sur le serveur de votre FAI.

1 Après avoir cliqué sur le bouton **Fermer**, à l'étape précédente, vous êtes invité à transférer tous les groupes de discussion à partir du serveur de news que vous avez indiqué. Pour accepter cette procédure, il suffit de cliquer sur **Oui**.

2 En fonction du nombre de groupes à télécharger, la procédure peut durer un certain temps. Une fenêtre vous indique le déroulement des opérations.

3 Au terme du téléchargement, tous les groupes apparaissent dans une nouvelle fenêtre.

4 Le champ de recherche de la boîte de dialogue permet de filtrer les groupes qui ne vous intéressent pas. Par exemple, entrez la suite de caractères fr. dans le champ *Afficher les groupes de discussion qui contiennent* et validez par la touche [Entrée]. Vous obtiendrez ainsi uniquement les groupes de la hiérarchie française pour effectuer votre sélection.

5 Au démarrage d'Outlook Express, vous pouvez afficher automatiquement vos groupes de discussion préférés, en masquant tous les autres. Si la procédure ne vous laisse pas indifférent, il suffit de s'abonner aux groupes souhaités. Commencez par les sélectionner et cliquez sur le bouton **S'abonner**. Au terme de cette opération, validez votre abonnement par OK.

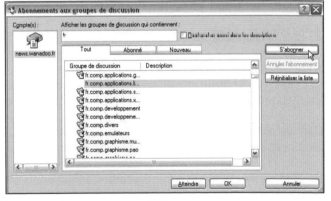

6 La fenêtre principale d'Outlook Express s'affiche et intègre maintenant tous les groupes que vous avez sélectionnés. Ils apparaissent effectivement dans le cadre gauche, tandis que les sujets des articles et leur contenu s'affichent dans la partie droite de la fenêtre. Il suffit de cliquer sur l'intitulé d'un groupe pour consulter toutes les contributions qu'il contient dans le cadre droit. En fait, si vous savez utiliser Outlook Express pour l'e-mail, l'accès au contenu des newsgroups ne vous posera aucune difficulté. ■

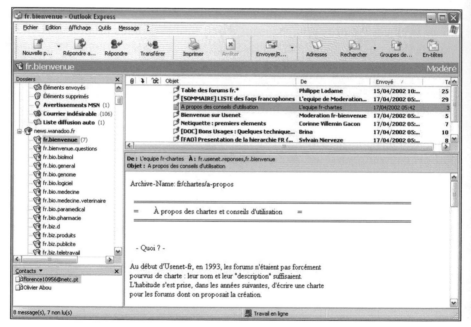

Participer aux newsgroups

Il existe des millions d'articles échangés dans tous les groupes de news du monde entier et, fort heureusement, ces groupes se déclinent selon une structure thématique où tout le monde peut facilement s'y retrouver.

Concrètement, les intitulés des forums sont construits à partir de plusieurs termes aisément compréhensibles et séparés par des points.

Le premier mot désigne une abréviation relative aux catégories principales de Usenet (comp pour *computer* ou fr pour France par exemple), tandis que le deuxième terme correspond à un sous-ensemble de cette catégorie.

Et ainsi de suite, avec les autres termes, pour trouver le groupe précis qui correspond au sujet qui vous intéresse.

Dans ces conditions, plus le titre est long (c'est-à-dire plus il contient de mots séparés par un point), plus le groupe renvoie à un thème précis.

Notez que l'essentiel des news proposées sur les serveurs NNTP provient de Usenet, et parfois d'autres services privés ou associations alternatives. En fait, le schéma Usenet s'organise à partir de sept catégories appelées *mainstream*. Vous pouvez trouver d'autres groupes issus d'entreprises privées (Microsoft, par exemple) ou de la catégorie dite alternative, dont certains forums sont devenus aussi populaires que ceux du mainstream.

Enfin, n'oublions pas la catégorie régionale, qui correspond aux groupes spécifiques à un pays particulier.

Nous avons regroupé dans deux tableaux les principales catégories que vous pourrez rencontrer sur le serveur de news de votre fournisseur d'accès Internet.

Principaux groupes alternatifs	
Nom	**Signification**
alt	Pour *alternative* ; tous les groupes qui ne peuvent pas rentrer dans les catégories traditionnelles
bionet	Réseau de la recherche en biologie et sciences naturelles
bit	Pour *bitnet* ; réseau qui regroupe des sujets traités sur des listes de diffusion (par e-mail)
biz	Pour *business* ; tout pour les affaires, les annonces des entreprises, les opportunités, etc.
gnu	Promotion et diffusion de programmes gratuits
geo	Tout ce qui concerne la Terre et l'environnement
K12	Réseau informel d'écoles du monde entier ; les discussions portent sur l'éducation, au sens large du terme, ou sur des projets pédagogiques

Les groupes du mainstream	
Nom	**Signification**
comp	Pour *computer* ; les news dédiées à l'informatique
news	Groupes de news sur les news
misc	Pour *miscellaeous* ; divers et inclassable
rec	Pour *recreation* ; tous les loisirs
sci	Pour science, mathématiques, physiques, etc.
soc	Pour les sciences sociales, de l'éducation à la culture en passant par l'histoire
talk	Débats sur les grands sujets polémiques

Poster un article

Avant de participer à une discussion sur Usenet, prenez le temps d'en savoir plus sur le groupe qui vous intéresse. Connectez-vous sur le site de fr-chartes : http://usenet-fr.news.eu.org/fr-chartes/. Vous trouverez, entre autres, des conseils d'utilisation pour chaque groupe de discussion, ou presque.

En ce qui concerne les commandes d'envoi des messages, elles sont identiques à celles que vous connaissez déjà lorsque vous utilisez Outlook Express pour vos e-mails. Seule différence : vous postez dans des groupes. Et il est alors conseillé d'effectuer un test avant de participer réellement au contenu d'un forum.

···▷ **1** Sélectionnez, dans le cadre gauche d'Outlook Express, le dossier dédié à votre serveur de news. Cliquez ensuite sur le groupe *fr.test* qui se trouve sur tous les serveurs NNTP français.

2 Pour poster votre première contribution dans le groupe fr.test, cliquez sur le bouton **Écrire un message**.

3 Dans la fenêtre d'édition des articles, le champ du destinataire *Groupes de discussion* a été automatiquement rempli par le nom du groupe correspondant (fr.test).

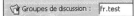

4 Inscrivez le sujet dans le champ *Objet* (**test** par exemple) et une ou deux phrases de votre choix dans le corps de l'article.

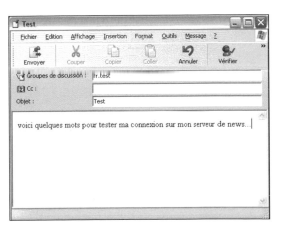

5 Cliquez sur le bouton **Envoyer**.

6 Après quelques minutes, récupérez votre propre contribution à partir du groupe fr.test en cliquant sur son intitulé avec le bouton droit de la souris et en sélectionnant la commande **Mettre à jour** à partir du menu contextuel.

7 Votre article devrait être disponible dans le groupe fr.test. Opération réussie ! ■

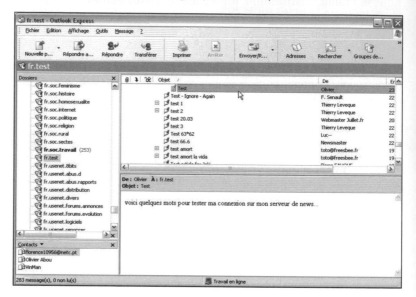

Poster comme un professionnel

Il existe plusieurs procédures d'expédition sur Usenet. Ainsi, pour envoyer le même article dans plusieurs newsgroups, deux possibilités s'offrent à vous : le multipostage ou le transpostage (également appelé *cross-post*).

La première méthode est à éviter car elle augmente inutilement le trafic du réseau Usenet. De fait, vous expédiez plusieurs fois votre article en créant un nouveau message pour chaque envoi.

La seconde méthode permet de n'envoyer qu'une seule fois votre article. Celui-ci sera physiquement présent dans un forum tandis qu'il sera uniquement référencé sur les autres. Cela permet, lorsque vous possédez un véritable lecteur de news, d'ignorer l'article si vous en avez déjà transféré un exemplaire.

Pour transposter dans les règles de l'art, inscrivez dans le champ *Groupes de discussion* tous les groupes concernés en les séparant d'une virgule, tout simplement.

Notez que, si vous indiquez le nom d'un groupe de discussion sous le champ **Distribution**, toutes les réponses seront expédiées dans ce forum.

Si vous n'avez pas accès à tous les champs de votre article, il suffit de sélectionner la commande **Tous les en-têtes** du menu **Affichage** pour les faire apparaître.

Dernière possibilité pour participer à une discussion : sélectionnez le premier article et cliquez sur le bouton **Répondre au groupe** disponible dans la barre d'outils.

À l'instar du courrier électronique, tous les champs nécessaires pour l'expédition de votre réponse ont été remplis et le message original de l'auteur est repris dans le corps de l'article. Il ne vous reste plus qu'à rédiger votre réponse.

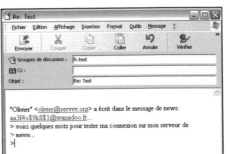

Enfin, pour répondre directement par e-mail à un utilisateur sans passer par les forums, cliquez sur le bouton **Répondre** de la barre d'outils.

Cette fois-ci, votre réponse est
envoyée vers l'adresse électronique
de l'auteur de l'article initial si la
personne a indiqué un e-mail valide.
Ce qui n'est pas toujours le cas...

Les fichiers binaires sur Usenet

Envoyer et recevoir des fichiers binaires sur Usenet (images, son, etc.) ne pose
aucune difficulté avec Outlook Express. La procédure s'effectue de façon
totalement transparente. Comme vous disposez de la même interface et des
mêmes commandes que pour l'e-mail, nous vous invitons à vous reporter à nos
explications précédentes dédiées à la transmission et la sauvegarde de pièces
jointes par
e-mail.
En effet,
l'opération est
identique.

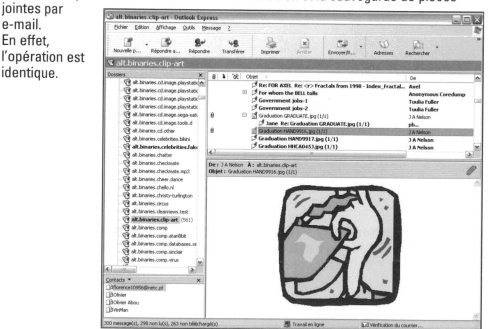

Mais il existe toutefois une subtilité sur Usenet : les fichiers binaires s'envoient et se récupèrent sur des groupes spécifiques et il est impossible de les transmettre ailleurs. Par exemple, toutes les catégories francophones (*fr.**) n'acceptent pas les fichiers binaires. En fait, seuls les groupes de la catégorie alternative le permettent, et encore pas tous… Ces derniers doivent impérativement faire partie de la catégorie *alt.binaries.** (par exemple, sur alt.binaries.multimedia, vous pouvez poster ou récupérer des fichiers multimédias).

Les bons conseils

Pour terminer cette section consacrée à Usenet, nous avons regroupé ici quelques conseils pour éviter des erreurs rencontrées fréquemment dans les groupes de discussion.

L'objectif d'un envoi sur Usenet consiste à être lu. C'est pourquoi, vous devez en premier lieu choisir un sujet attrayant et précis, en adéquation avec le contenu de votre article. Évitez les titres trop généraux (par exemple, "Besoin d'aide") qui seront probablement ignorés par la majorité des utilisateurs. De plus, et à l'inverse du texte de votre contribution, évitez d'inscrire des caractères spéciaux tels les accents qui passent rarement bien lorsqu'ils sont présents dans les sujets.

Dans le domaine de la rédaction, et cette remarque reste valable pour l'e-mail également, ne composez pas votre texte en majuscules. Les lecteurs qui vous liront auront l'impression que vous hurlez et peu de gens vous répondront.

Lorsque les esprits s'échauffent, ou lorsque la discussion prend une tournure trop personnelle, pensez à répondre directement par e-mail à vos interlocuteurs. Les forums représentent un espace collectif et certains échanges n'ont pas leur place sur Usenet.

Si vous possédez une signature que vous utilisez sur Usenet, élaborez-la dans les règles. Sa longueur ne doit pas excéder quatre ou cinq lignes. De plus, elle ne doit contenir aucun fichier binaire, comme une image. Ajoutez devant votre signature une ligne contenant deux tirets suivis d'un espace (—). De cette façon, elle ne sera pas reprise dans les articles lorsque vos interlocuteurs vous répondront.

Enfin, lorsque vous transpostez un message dans plusieurs forums, soyez raisonnable. Évitez de sélectionner plus de quatre groupes. Au-delà, votre envoi sera probablement perçu comme une tentative de spam et il sera annulé.

La messagerie instantanée

À l'instar de son concurrent Netscape, la suite Internet Explorer est livrée avec une application spécifique permettant dialoguer en direct sur Internet : Windows Messenger. Si vous avez opté pour une installation complète avec Windows XP, alors Windows Messenger est disponible sur votre système. Si ce n'est pas le cas, vous pouvez le télécharger sur http://messenger.msn.fr/.

Configurer Windows Messenger

Pour démarrer Windows Messenger, deux solutions s'offrent à vous. La première consiste à passer par Internet Explorer en sélectionnant la commande adéquate sous le menu **Outils**. L'autre possibilité permet de démarrer l'application sans Internet Explorer, en sélectionnant la commande **Accessoires/Communications/ Windows Messenger** à partir du menu **Démarrer** de la barre des tâches de Windows.

Cela dit, à l'instar de la majorité des programmes de communication pour Internet, il convient de configurer Windows Messenger avant de pouvoir l'utiliser.

Obtenir un passeport .NET

La condition sine qua non pour profiter des services de Windows Messenger repose sur votre inscription sur les sites de Microsoft. Vous devez, plus exactement, obtenir un passeport en provenance du service en ligne Microsoft Passport, ou .NET Passport. Celui-ci permet de vous connecter de façon sécurisée sur n'importe quel service ou site web compatible .NET Passport avec votre adresse de messagerie et un mot de passe unique.

L'intérêt d'un tel système consiste à vous épargner la mémorisation du nom de connexion et du mot de passe associés sur certains services sécurisés du Web (achats en ligne, messagerie instantanée, etc.)

Les informations sauvegardées avec .NET Passport sont stockées en ligne, de manière sécurisée, dans une base de données. Elles représentent votre Profil .NET Passport. Concrètement, lorsque vous vous connectez une première fois sur un site prenant en charge cette technologie, après avoir indiqué votre identifiant et votre mot de passe, celui-ci vérifie la validité de votre adresse de messagerie et de son mot de passe. Ensuite, vous pouvez vous connecter à d'autres sites et services en cliquant simplement sur le bouton de connexion .NET Passport proposé.

Procédure d'identification

.NET Passport sauvegarde un cookie (petit fichier texte) crypté sur votre ordinateur pour vous permettre de vous connecter aux sites affiliés à .NET Passport sans qu'il soit nécessaire de vous authentifier.

Pour connaître la liste des sites prenant en charge la technologie .NET Passport, connectez-vous sur www.passport.com/Directory/.

Pour obtenir un passeport .NET, vous pouvez remplir un formulaire d'informations personnelles sur www.passport.com ou sur n'importe quel autre site compatible .NET Passport.

Cela dit, en ouvrant un compte e-mail gratuit sur Hotmail ou MSN.com, vous disposerez automatiquement d'un passeport .NET. Dans ces conditions, il suffira d'indiquer votre adresse de messagerie et votre mot de passe sur les sites qui affichent le bouton de connexion .NET Passport. Et cette même adresse vous sera demandée lors de la première connexion avec Windows Messenger, comme nous allons le voir maintenant.

Première connexion à Windows Messenger

1 Démarrez Windows Messenger à partir de l'une des deux méthodes que nous avons indiquées précédemment et, dans la nouvelle fenêtre qui apparaît, cliquez sur le lien *Cliquez ici pour ouvrir une session*.

2 L'Assistant Passport .NET s'affiche et vous propose d'ajouter un passeport .NET à votre compte d'utilisateur Windows XP. Cliquez sur **Suivant**.

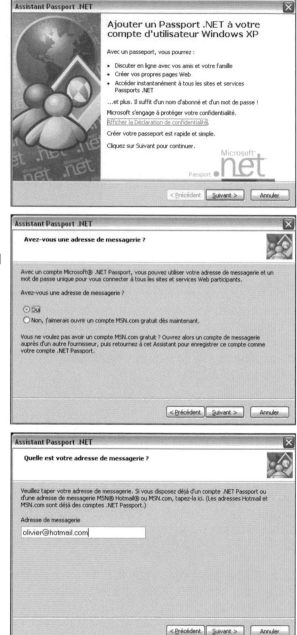

3 La méthode la plus simple pour disposer du passeport .NET consiste à ouvrir un compte e-mail sur Hotmail. Reportez-vous à la section consacrée à Outlook Express pour connaître la procédure à suivre et reprenez ensuite notre pas à pas de connexion à Windows Messenger depuis le début dès que vous aurez votre adresse. Dans cette deuxième étape de l'Assistant Passport .NET, cliquez sur l'option *Oui* et sur le bouton **Suivant**.

4 Indiquez votre adresse e-mail et passez à l'étape suivante.

5 Indiquez le mot de passe associé à votre adresse e-mail et, pour ne pas ressaisir à chaque fois les mêmes informations, cochez l'option *Enregistrer mes informations .NET Passport dans mon compte d'utilisateur Windows XP*. Passez à l'étape suivante.

6 Un message s'affiche pour vous indiquer que votre compte a bien été créé. Cliquez sur **Terminer**. Immédiatement après, l'interface principale de Windows Messenger charge un nouveau contenu. ■

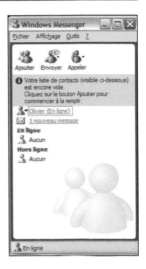

Votre application de messagerie instantanée est désormais prête à fonctionner.

Dialoguer avec Windows Messenger

Comme vous allez le voir, et à la différence de ses concurrents, Windows Messenger permet d'effectuer des appels vocaux depuis votre ordinateur vers un téléphone dans le monde entier (à condition d'être équipé d'une installation son), de participer à des sessions de visioconférence et, bien entendu, de dialoguer avec vos correspondants en mode texte, par clavier interposé.

Ajouter un contact

Pour utiliser Windows Messenger, vous devez ajouter au minimum un contact, c'est-à-dire un utilisateur que vous connaissez et qui possède, comme vous, une version de Windows Messenger.

1 Dans l'interface principale de Windows Messenger, cliquez sur le bouton **Ajouter**.

2 Deux possibilités s'offrent à vous : soit vous connaissez déjà cet utilisateur (première option), soit vous souhaitez le rechercher à travers les annuaires de Microsoft (seconde option). Prenons l'option la plus courante, c'est-à-dire la première. Entrez l'adresse électronique de votre contact et passez à l'étape suivante.

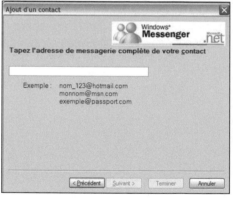

3 Si l'adresse existe, votre contact a été automatiquement ajouté à la liste. Notez que vous pouvez envoyer un message à votre correspondant pour le prévenir que son nom fait désormais partie de votre liste de contacts. Le cas échéant, cliquez sur **Message**.

4 Inscrivez votre message et, si vous le souhaitez, vous pouvez laisser, dans la seconde partie de la fenêtre, l'avis de Microsoft qui lui conseillera de télécharger et d'installer Windows Messenger pour dialoguer avec vous en direct. Cliquez ensuite sur **suivant**.

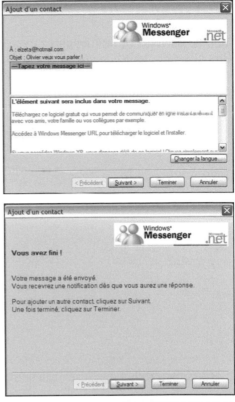

5 Le message a été envoyé. Cliquez sur **Terminer** pour revenir à la fenêtre principale de Windows Messenger.

6 Comme vous pouvez le constater, le nom de votre contact a été ajouté sur la liste. Rien ne vous interdit, bien évidemment, d'en ajouter un autre. Il suffit de suivre la même procédure. ■

Correspondre avec un contact

Le nom de votre contact apparaît avec une icône rouge dans la section *Hors ligne*. Dès que celui se connecte à Internet, son icône devient blanche et son nom passe dans la section *En ligne*. Voyons maintenant comment correspondre avec lui.

1 Pour lui envoyer un message, double-cliquez sur son nom.

2 Inscrivez votre message dans le cadre prévu à cet effet et cliquez ensuite sur le bouton **Envoyer**. C'est aussi simple que cela.

3 Pour envoyer un fichier, sélectionnez la commande **Envoyer un fichier à** (nom du contact) à partir du menu **Fichier**. Sélectionnez ensuite le fichier à transmettre à partir de la boîte de dialogue proposée et validez-la. Si votre correspondant l'accepte, le document sera immédiatement transmis. ■

Sécurité

Méfiez-vous des fichiers que des inconnus vous envoient. Mieux vaut ne pas les accepter, ils peuvent contenir des virus et des chevaux de Troie.

Notez que, lorsqu'une personne vous envoie un message, une fenêtre pop-up s'ouvre et vous êtes automatiquement prévenu.

Pour dialoguer en mode son ou en visioconférence, il suffit de cliquer sur l'onglet **Voix**. Si vous disposez d'un microphone et de haut-parleurs, voire d'une caméra connectée et configurée sur votre système, un test est automatiquement effectué. S'il est concluant, votre correspondant est contacté et vous pouvez dialoguer directement à partir de vos équipements sonores ou vidéo.

Personnaliser Windows Messenger

Pour personnaliser Windows Messenger, plusieurs options de configuration sont proposées.

1 Sélectionnez la commande **Options** du menu **Outils** pour afficher la boîte de dialogue du même nom.

2 Sous l'onglet **Personnel**, vous pouvez modifier votre nom de contact et ne plus sauvegarder votre mot de passe (vous serez obligé de le saisir à chaque session, ce qui est plus sûr au niveau de la sécurité). Vous avez également la possibilité d'utiliser une police de caractères personnalisée.

3 Sous l'onglet **Téléphone**, vous pouvez indiquer votre propre numéro de téléphone.

4 Sous l'onglet **Préférences**, vous pouvez exécuter directement Windows Messenger à chaque nouveau démarrage de votre système. Il est également possible de définir la façon dont s'afficheront les alertes de Messenger lorsqu'un de vos amis se connecte ou vous envoie un message instantané. Indiquez ici aussi dans quel répertoire vous souhaitez recevoir automatiquement les fichiers que vous recevez.

5 Sous l'onglet **Confidentialité**, vous pouvez être averti automatiquement lorsqu'une personne vous ajoute sur sa liste de contacts. En outre, vous pouvez indiquer les personnes autorisées ou non à vous transmettre des messages. Enfin, vous pouvez savoir, en cliquant sur le bouton **Afficher**, qui vous a ajouté sur sa liste de contacts.

6 Sous l'onglet **Connexion**, vous pouvez indiquer l'adresse de votre serveur proxy si vous n'utilisez pas de connexion directe à Internet. Si vous utilisez un tel dispositif, adressez-vous à votre administrateur réseau ou à votre fournisseur d'accès Internet pour connaître son adresse. ■

Pour terminer sur ce sujet, faisons un point sur la sécurité. Vous pouvez faire des rencontres variées à travers le réseau de messagerie instantanée de Microsoft et vous devez adopter, comme partout sur Internet, des règles de prudence. Ne transmettez aucune information personnelle et confidentielle à un utilisateur que vous ne connaissez pas (adresse, numéro de téléphone, etc.). Vous risqueriez bien de le regretter !

Chapitre 4

La sécurité

La suite Internet Explorer constitue un ensemble d'outils sophistiqués et performants, mais qu'il convient d'utiliser de façon avertie. Il existe effectivement des risques au niveau de la sécurité de vos données lorsque vous surfez sur le Web ou lorsque vous relevez votre courrier, entre autres, et il existe également des moyens de s'en protéger.

Internet en toute sécurité

Comme vous allez le voir, les risques de sécurité s'appliquent à différents domaines : le téléchargement de fichiers contaminés par des virus informatiques, les attaques menées à partir de chevaux de Troie (des dispositifs logiciels que nous expliquerons plus loin), les achats en ligne, le contrôle parental ou la confidentialité de vos données.

Sécuriser les connexions

La suite logicielle d'Internet Explorer fait partie intégrante de votre système. Il est nécessaire dans un premier temps de sécuriser votre environnement de travail.

Contrôler les accès à Internet

Lorsque vous démarrez votre système, certains logiciels peuvent établir automatiquement une connexion à Internet sans vous en demander l'autorisation. L'intérêt ? Transmettre des informations à un serveur. Et la nature de ces informations peut considérablement varier. Parfois, il s'agit simplement de rechercher une mise à jour logicielle ce qui, vous en conviendrez, ne constitue aucune violation de votre vie privée. Dans d'autres cas, le programme transmettra des données confidentielles sur, par exemple, le type de musique que vous écoutez, les services que vous visitez, etc. L'objectif d'une telle procédure repose, comme vous l'imaginez, sur un programme marketing et publicitaire. C'est pourquoi, si vous ne souhaitez pas participer à l'élaboration d'un fichier de clients en transmettant, par exemple, vos habitudes de consommation sur Internet, il existe une méthode toute simple.

❖ **1** Sélectionnez la commande **Paramètres/Panneau de configuration** du menu **Démarrer** de la barre des tâches de Windows. Double-cliquez sur l'icône *Options Internet*.

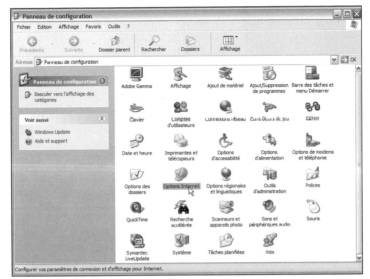

2 Dans la boîte de dialogue qui apparaît, activez l'onglet **Connexions** et cochez l'option *Ne jamais établir de connexion* dans la rubrique *Options de numérotation*. Validez ensuite par OK. ∎

Désormais, vous serez prévenu par un message d'alerte dès que l'un de vos programmes tentera d'établir une communication sur Internet. À vous ensuite, en cliquant sur le bouton approprié (OK ou **Annuler**), de l'autoriser ou non.

> **Connexion surprise**
>
> Si vous disposez d'une connexion Internet classique qui s'établit à partir d'un modem relié à une ligne téléphonique, vous vous apercevrez presque toujours d'une tentative de communication. À l'inverse, avec un abonnement Numéris, câble ou ADSL, la procédure de connexion est silencieuse et quasi immédiate. Dans ce cas, il est vraiment conseillé de désactiver la procédure de numérotation automatique pour établir une session de communication sur Internet.

Les mots de passe

La sauvegarde des mots de passe sur votre système constitue un point délicat, au niveau de la sécurité, à ne pas négliger. Nous vous invitons d'ailleurs à être particulièrement vigilant si votre machine est utilisée par d'autres personnes de votre entourage professionnel ou familial. Si vous enregistrez de façon permanente tous vos mots de passe, n'importe qui pourra les exploiter pour se connecter à Internet, entre autres. Vous allez donc effectuer quelques petites modifications...

1 Démarrez Internet Explorer et sélectionnez la commande **Options Internet** du menu **Outils**.

2 Dans la boîte de dialogue qui apparaît, activez l'onglet **Connexions** et sélectionnez votre FAI sur la liste qui s'affiche sous la rubrique *Options de numérotation.* Cliquez sur le bouton **Paramètres**.

3 Supprimez à présent toutes les informations inscrites dans les champs *Nom d'utilisateur* et *Mot de passe*. Refermez ensuite toutes les fenêtres par OK. ■

À présent, pour se connecter, il vous faudra obligatoirement indiquer votre mot de passe et l'identifiant utilisateur de votre compte. Cela peut parfois être utile...

Les formulaires

Dans le même esprit, Internet Explorer enregistre automatiquement votre saisie dans les formulaires que vous remplissez sur le Web. Cela lui permet, lorsque vous devez indiquer les mêmes informations plus tard, de remplir automatiquement les champs proposés sans qu'il soit nécessaire de ressaisir toutes les informations. Une fonctionnalité fort utile, mais qui constitue, là encore, une faille de sécurité lorsque d'autres utilisateurs accèdent à votre machine. C'est pourquoi, nous vous conseillons de désactiver cette option.

1 Démarrez Internet Explorer et sélectionnez la commande **Options Internet** du menu **Outils**.

2 Dans la boîte de dialogue qui apparaît, activez l'onglet **Contenu** et cliquez sur le bouton **Saisie semi-automatique**.

Le coin des passionnés

3 Sous la rubrique *Utiliser la saisie semi-automatique pour*, vous pouvez désactiver plusieurs options pour empêcher l'enregistrement des données que vous saisissez dans plusieurs situations.

■ L'option *Adresses Web* ne sauvegarde pas les URL que vous inscrivez dans la barre d'adresses d'Internet Explorer pour vous connecter aux sites web. Cela permet de ne pas connaître les endroits où vous naviguez.

■ L'option *Formulaires* consiste à ne pas enregistrer votre saisie dans les champs des formulaires intégrés dans les pages web.

■ L'option *Noms d'utilisateur et mots de passe sur les formulaires* consiste à ne pas sauvegarder certaines informations confidentielles inscrites dans les formulaires (identifiant et mot de passe plus particulièrement).

4 Bien entendu, tout ce que vous avez saisi jusqu'à maintenant a été enregistré par Internet Explorer. Pour supprimer toutes ces informations sauvegardées avec la configuration par défaut du navigateur, il suffit de cliquer sur les boutons **Effacer les formulaires** et **Effacer les mots de passe**. ■

Les espions système

Windows XP fait largement appel à Internet pour, par exemple, mettre à jour Internet Explorer. Il intègre également un module d'assistance à distance, un lecteur multimédia qui peut rapatrier automatiquement des séquences audio et vidéo accessibles en ligne, etc. Mais il intègre également des outils qui transmettent régulièrement des informations sur le Net sans vous en informer.

Bien entendu, il est possible de désactiver, pour chacun de ces outils, la transmission des données en ligne. Cela se fait à partir de la base de Registre du système, ce qui représente toujours une opération délicate à effectuer. C'est pourquoi, nous vous suggérons de télécharger un petit utilitaire, intitulé xp-AntiSpy, capable de le faire à votre place, en toute sécurité.

1 Connectez-vous sur www.xp-antispy.de pour télécharger une version française de cet utilitaire gratuit. Vous la trouverez sous le lien *Download (xp-AntiSpy V3.61 [French version])*.

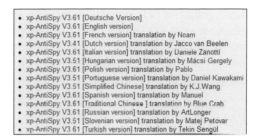

* xp-AntiSpy V3.61 [Deutsche Version]
* xp-AntiSpy V3.61 [English version]
* xp-AntiSpy V3.61 [French version] translation by Noam
* xp-AntiSpy V3.41 [Dutch version] translation by Jacco van Beelen
* xp-AntiSpy V3.61 [Italian version] translation by Daniele Zanotti
* xp-AntiSpy V3.51 [Hungarian version] translation by Mácsi Gergely
* xp-AntiSpy V3.61 [Polish version] translation by Pablo
* xp-AntiSpy V3.51 [Portuguese version] translation by Daniel Kawakami
* xp-AntiSpy V3.51 [Simplified Chinese] translation by K.J.Wang
* xp-AntiSpy V3.51 [Spanish version] translation by Manuel
* xp-AntiSpy V3.61 [Traditional Chinese] translation by Blue Crab
* xp-AntiSpy V3.61 [Russian version] translation by ArtLonger
* xp-AntiSpy V3.51 [Slovenian version] translation by Matej Petovar
* xp-AntiSpy V3.61 [Turkish version] translation by Tekin Sengül

2 Bonne surprise : il n'est pas nécessaire d'installer le logiciel. Créez un nouveau dossier sur votre disque, à l'emplacement de votre choix, et déposez les deux fichiers contenus dans l'archive ZIP que vous venez de télécharger.

3 Double-cliquez à présent sur le fichier *xp-AntiSpy3fr.exe* pour démarrer le programme.

4 La fenêtre principale de xp-AntiSpy3 affiche toutes les fonctions de Windows XP susceptibles de transmettre des informations, à travers Internet, sur les serveurs de Microsoft. Pour les désactiver, il suffit de sélectionner celles qui vous intéressent et de cocher la case d'option qui s'affiche juste après votre sélection.

5 Les changements seront effectifs immédiatement après avoir cliqué sur le bouton **Quitter**. ■

Le coin des passionnés

Se protéger

Internet Explorer et Outlook Express donnent accès à de nombreuses ressources sur Internet et certaines d'entre elles peuvent être hostiles. Nous pensons plus particulièrement aux virus informatiques, dont les **chevaux de Troie** font partie, et aux possibilités d'intrusions sur votre machine via Internet. C'est pourquoi, nous vous conseillons d'installer deux types de programme pour vous protéger : un antivirus et un pare-feu (appelé aussi *firewall*).

> ### ■ Cheval de Troie
>
> Un cheval de Troie correspond à un dispositif serveur qui s'installe à votre insu sur votre machine. Lorsque le pirate s'y connecte, il peut prendre le contrôle de votre ordinateur ou détruire vos données. Concrètement, vous pouvez récupérer un cheval de Troie de plusieurs façons : e-mail, FTP, IRC… Vous recevez un fichier anodin et vous cliquez dessus pour voir ce qu'il contient. Rien ne se produit, mais en réalité le cheval de Troie vient de s'installer sur votre système et votre machine devient immédiatement vulnérable.

Les antivirus

Il n'existe qu'une parade pour vous prémunir des virus : l'installation d'un antivirus. Internet a considérablement facilité, et accéléré, la propagation des virus informatiques et plus personne n'est à l'abri ; vous pouvez en récupérer un par e-mail ou en téléchargeant un fichier FTP, par exemple. Bref, l'installation d'une telle protection constitue désormais une mesure incontournable si vous souhaitez vous connecter en toute tranquillité.

Nous avons indiqué, dans le tableau qui suit, plusieurs logiciels leaders dans ce domaine. N'hésitez pas à les tester, ils sont tous disponibles en version de démonstration sur le Web.

Quelques antivirus	
Nom	**Adresse**
AntiVir	www.free-av.com
AVP	www.avp.ch
Dr Solomon	www.drsolomon.com
F-Prot	www.f-prot.com/f-prot/products/fpwin.html
Norton AntiVirus	www.symantec.fr
Thunderbyte	www.thunderbyte.com
Trend Micro	www.secuser.com/antivirus

Pour qu'un antivirus soit actif, il suffit généralement de l'installer, aucune configuration n'est nécessaire. Son fonctionnement se déroule à l'arrière-plan, sans que vous ayez à vous en préoccuper. Il surveille en permanence les nouveaux fichiers téléchargés et les exécutions de programmes. Dès qu'un virus est détecté, l'accès au fichier correspondant est bloqué et il devient impossible de l'exécuter.

Dans le meilleur des cas, le fichier contaminé est nettoyé, sinon il est supprimé. À l'arrivée, le résultat est toujours le même : le virus est éradiqué de votre système et vos données restent intactes.

Cela dit, si l'utilisation d'un anti-virus est à la portée de tous, il convient toutefois de ne pas oublier l'essentiel : les mises à jour. Car la détection d'un virus s'établit à partir d'une signature. En d'autres termes, un morceau de code caractéristique permet de l'identifier sans aucune ambiguïté. C'est pourquoi, dès qu'un nouveau virus apparaît, les éditeurs le décortiquent et intègrent sa signature dans leur base de données.

Bien entendu, pour que votre antivirus reste efficace, vous devez télécharger cette base de données régulièrement.

En général, la fréquence de mises à jour des éditeurs est hebdomadaire. Dès lors, vous devez régulièrement vous connecter sur leur site pour télécharger les nouvelles signatures. Cette opération se fait en toute simplicité via la commande de mise à jour intégrée à votre antivirus. Le transfert et l'installation s'effectuent, dans ces conditions, en une seule fois et de façon totalement automatisée.

Le coin des passionnés

Mais attention : les dernières versions de Windows (XP et ME notamment) permettent de restaurer votre système, tel qu'il était à une date précise. Et cette fonction est tellement efficace qu'elle est capable également de restaurer des virus que vous aviez éradiqués… Il vaut mieux le savoir !

Activer le pare-feu de Windows XP

Un firewall ou pare-feu est un système de protection à ne pas négliger, surtout pour ceux qui bénéficient d'une connexion permanente de type câble ou ADSL, ou qui restent en ligne plusieurs heures d'affilées avec leur modem 56k.

L'intérêt d'un pare-feu permet de contrôler toutes les connexions qui s'établissent sur ou à partir de votre ordinateur. Ainsi, vous êtes prévenu lorsqu'une personne tente de s'introduire sur votre machine ou lorsque l'un de vos programmes envoie des données vers un serveur. Dans ces conditions, vous pouvez déterminer vous-même les logiciels autorisés à communiquer sur Internet ou les utilisateurs qui peuvent exploiter les ressources de votre machine. Dans tous les autres cas, les communications seront automatiquement bloquées, et aucune donnée ne pourra être envoyée sur Internet ou aucune connexion ne pourra être effectuée sur votre système.

Windows XP intègre un pare-feu que nous vous invitons à activer.

1 À partir du menu **Démarrer** de la barre des tâches de Windows, sélectionnez la commande **Paramètres/Panneau de configuration** et double-cliquez sur l'icône *Connexions réseau*.

2 Cliquez avec le bouton droit de la souris sur la connexion Internet de votre FAI. Dans le menu contextuel qui apparaît, sélectionnez la commande **Propriétés**.

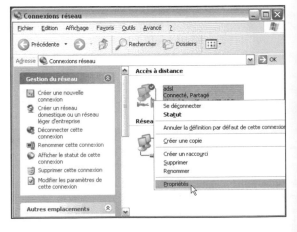

Le coin des passionnés

3 Dans la boîte de dialogue qui s'affiche, cliquez sur l'onglet **Avancés** et cochez l'option *Protéger mon ordinateur et le réseau en limitant ou interdisant l'accès à cet ordinateur à partir d'Internet* disponible sous la section *Pare-feu de connexion Internet*. Validez ensuite par OK. ■

Le pare-feu intégré de Windows XP constitue cependant une protection rudimentaire qui ne fonctionne que pour les connexions entrantes. Il bloque sans difficulté toute tentative de piratage, mais il laisse passer, sans vous prévenir, toutes les informations envoyées à votre insu sur des serveurs par vos programmes.

Installer un pare-feu

Si vous souhaitez adopter une solution de protection complète, il est nécessaire d'installer un véritable pare-feu. Dans ce domaine, il en existe plusieurs ; nous en avons sélectionné quelques-uns que nous avons regroupés dans le tableau qui suit.

Quelques pare-feu	
Nom	**Adresse**
eSafe	www.aladdin.fr
McAfee Firewall	www.mcafee-at-home.com/international/france
Norton Personal Firewall	www.symantec.fr
Tiny Personal Firewall	www.tinysoftware.com
ZoneAlarm	www.zonelabs.com

Le coin des passionnés

En ce qui nous concerne, nous avons opté pour la solution de Zone Labs, c'est-à-dire ZoneAlarm. Ce pare-feu est totalement gratuit et son fonctionnement reste intuitif, une qualité rare pour ce type de produit. Notez cependant qu'il existe également en version payante : ZoneAlarm Pro. Elle s'adresse principalement aux professionnels qui doivent protéger un réseau local dans leur entreprise.

Voyons à présent comment protéger un poste isolé avec ZoneAlarm.

1 Connectez-vous sur www.zonelabs.com et téléchargez la version gratuite de ZoneAlarm.

2 L'installation est prise en charge par un assistant et ne pose aucune difficulté. De plus, celui-ci identifie automatiquement les principaux programmes qui doivent accéder en toute liberté à Internet (Internet Explorer et Outlook Express seront reconnus sans aucun problème). ZoneAlarm leur attribuera ainsi les permissions requises et vous ne serez pas bloqué dès le départ pour surfer sur le Web ou relever votre courrier.

3 Au terme de cette procédure d'installation et de configuration automatique, redémarrez votre ordinateur pour rendre fonctionnel votre pare-feu.

4 Comme vous le constaterez après vous êtes connecté à Internet, certains de vos programmes ne pourront plus fonctionner (logiciels FTP, par exemple). S'ils n'ont pas été reconnus pendant la procédure d'installation, ZoneAlarm leur interdira l'accès à Internet sans votre autorisation. Il affichera en outre un message vous informant de leur tentative d'accéder en ligne, à vous ensuite de les autoriser ou non en cliquant sur le bouton **Yes** ou **No**.

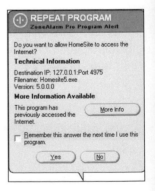

Pour connaître le programme qui tente d'établir une connexion, il suffit de lire le message de cette boîte de dialogue. Si celui-ci fait partie des applications autorisées à accéder librement à Internet, nous vous conseillons de cocher l'option *Remember the answer each time I use this program* avant de cliquer sur **Yes**. De cette façon, ZoneAlarm lui permettra de se connecter pour les prochaines fois sans afficher le message d'autorisation. Cette procédure représente, en fait, le système de configuration du pare-feu et elle est très conviviale.

5 Si vous regrettez d'avoir coché l'option d'autorisation de connexion définitive pour l'un de vos programmes, il est très simple de l'annuler. Double-cliquez sur l'icône de ZoneAlarm dans la barre des tâches de Windows et sélectionnez, dans la fenêtre qui s'affiche, le bouton **Programs**. Vous verrez alors apparaître la liste de tous vos programmes.

6 La colonne *Allow connect* vous indique, pour chaque programme, son niveau d'autorisation.

■ *Ask*, représenté par un point d'interrogation, signifie que ZoneAlarm vous demandera votre autorisation à chaque connexion.

■ *Allow*, identifié par un trait vert, indique que la connexion est permise.

■ *Disallow*, signalé par une croix rouge, interdit toute connexion de la part du programme correspondant.

Pour modifier l'un de ces trois paramètres, sélectionnez la ligne qui vous intéresse avec le bouton droit de la souris et activez l'une des commandes du menu contextuel. Notez que la commande **Remove** supprimera l'application de la liste et, la prochaine fois qu'elle s'exécutera, vous obtiendrez une nouvelle fois la boîte de dialogue d'autorisation de ZoneAlarm. ■

Bien entendu, ZoneAlarm bloque également toutes les connexions entrantes. Vous êtes averti exactement de la même façon que lorsque l'un de vos programmes tente de se connecter. Une boîte de dialogue s'affiche, mais, à la différence de la précédente, vous n'avez pas la possibilité d'autoriser la connexion. Il suffit de valider par OK le message d'alerte de ZoneAlarm.

Notez enfin que, pour éviter l'affichage intempestif de cette boîte de dialogue, vous pouvez cocher l'option *Don't show this dialog again* avant de la refermer par OK.

Naviguer en toute sécurité

La navigation sur Internet constitue incontestablement une expérience enrichissante, mais elle peut également réserver bien des mauvaises surprises. Voyons comment les éviter.

Configurer Internet Explorer

Dans un premier temps, il convient de configurer correctement Internet Explorer, en ne se contentant pas de ses paramètres proposés par défaut.

┈┈⟩ **1** Démarrez le navigateur et sélectionnez la commande **Options Internet** du menu **Outils**.

2 Dans la boîte de dialogue qui s'affiche, cliquez sur l'onglet **Sécurité**, sélectionnez l'option *Internet* de la première section et activez le bouton **Personnaliser le niveau** sous la section intitulée *Niveau de sécurité pour cette zone*. ■

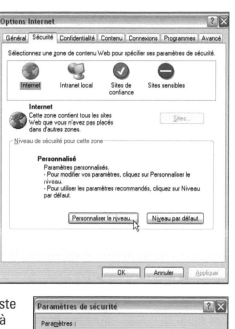

Vous disposez maintenant d'une liste d'une trentaine d'options dédiées à la sécurité de vos connexions avec Internet Explorer. Examinons les principales.

Authentification

La première catégorie d'options se charge d'établir les conditions de connexion sur des serveurs FTP qui vous demanderont tous de vous authentifier. Cette procédure revêt une certaine importance car on peut facilement récupérer votre adresse e-mail à votre insu si vous conservez les paramètres proposés par défaut.

Le coin des passionnés

Pour connaître l'e-mail d'un utilisateur qui affiche une page web, il suffit d'y intégrer une image stockée sur un serveur FTP. De cette façon, au moment de transférer la page, votre navigateur se connecte automatiquement au serveur FTP et transmet, sans vous prévenir, votre adresse e-mail (celle que vous avez indiquée dans les paramètres de configuration d'Internet Explorer) pendant la procédure d'authentification.

Dans ces conditions, nous vous conseillons de cocher l'option *Demander le nom d'utilisateur et le mot de passe*. Ainsi, dès qu'Internet Explorer établit une connexion

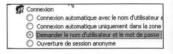

FTP, il affiche une boîte de dialogue spécifique pour vous authentifier manuellement. Bien entendu, vous n'êtes pas obligé de transmettre votre véritable adresse e-mail.

Gestion des contrôles ActiveX et de Java

Les contrôles ActiveX désignent des composants logiciels qui permettent de bénéficier de fonctionnalités supplémentaires dans les pages web. Cela dit, rien n'interdit à certaines personnes de développer des fonctions hostiles. Et, dans ce domaine, la seule protection offerte correspond à une signature qui permet d'identifier son créateur. Celle-ci s'affiche et, si elle vous semble digne de confiance, vous pouvez alors accepter le téléchargement et l'installation du contrôle.

C'est pourquoi, il ne faut pas accepter les contrôles ActiveX automatiquement et nous vous conseillons de cocher l'option *Demander* pour tous les paramètres correspondant à la section des contrôles ActiveX.

Les programmes Java, intégrés dans les pages web, peuvent également provoquer des problèmes de sécurité, même si leur développement est mieux sécurisé. Si vous ne souhaitez prendre aucun risque, cochez l'option *Haute sécurité* sous la rubrique *Microsoft VM* (qui désigne un environnement d'exécution pour les programmes Java).

Sécurité des scripts

Les scripts correspondent à des petits programmes directement intégrés dans le code des pages web. Ils permettent généralement d'insérer quelques animations sur un document ou de proposer des fonctions interactives basiques. Là encore, rien n'interdit à un développeur de mettre au point un script hostile qui peut rendre instable votre système. C'est pourquoi, les paramètres de sécurité d'Internet Explorer propose une section *Script* à configurer.

Cette rubrique se présente en trois parties bien distinctes.

■ La première, *Active scripting,* doit être activée. Elle permet de bénéficier des dernières fonctionnalités du Web et certaines méritent vraiment le détour. Cela dit, si vous cochez l'option *Demander*, à la place de l'option *Activer*, votre navigation deviendra laborieuse car le navigateur vous demandera, sur presque toutes les pages transférées, s'il a l'autorisation ou non d'exécuter un script.

■ La deuxième rubrique, *Permettre les opérations de collage via le script*, permet aux scripts d'accéder au contenu du Presse-papiers Windows. En d'autres termes, ils peuvent lire les données copiées temporairement dans la mémoire du système. Vous pouvez vous dispenser de cette fonction et cocher l'option *Désactiver*.

■ Enfin, la dernière option de cette rubrique, *Script des applets Java*, autorise les programmes Java à exécuter des scripts. Là encore, vous pouvez désactiver l'option ou, à la rigueur, cocher l'option *Demander*.

Le coin des passionnés

Autres options

Il existe une section *Divers* qui regroupe de nombreuses options facilement compréhensibles par leur intitulé, mais certaines d'entre elles peuvent toutefois vous laisser perplexe.

- L'option *Accès aux sources de données sur plusieurs domaines* consiste, à partir de la page affichée  par votre navigateur, à transférer plusieurs fichiers stockés sur différents serveurs. Mieux vaut alors cocher l'option *Demander* pour ne pas effectuer cette opération automatiquement. De cette façon, vous savez exactement sur quels serveurs vous allez être connecté.

- L'option *Autorisations pour les chaînes du logiciel* permet de s'abonner automatiquement ou non à des canaux d'informations qui vous enverront régulièrement des fichiers. Nous vous conseillons ici de cocher l'option *Haute sécurité*.

- L'option *Lancement des programmes et des fichiers dans un IFRAME* permet de transférer et d'exécuter dans un cadre intégré à une page web des fichiers de toutes sortes. Dans ces conditions, cochez l'option *Demander* pour ne pas exécuter n'importe quoi.

- L'option *Navigation de sous-cadres sur différents domaines* permet de transférer des pages à partir de différents serveurs. Il vaut mieux connaître leur origine avant de le faire et nous vous recommandons de cocher l'option *Demander*.

En cas de doute pour toutes les autres options de cette section, conservez les paramètres proposés par défaut, cela ne devrait poser aucun problème pour la sécurité de votre système. Validez ensuite la boîte de dialogue par OK pour retourner dans la fenêtre précédente.

Le coin des passionnés

Les cookies

Cliquez à présent sur l'onglet
Confidentialité pour gérer la
réception des cookies. Ces
derniers permettent de vous
authentifier automatiquement
sur certains sites, mais
quelques-uns permettent
également d'enregistrer votre
navigation pour mieux vous
connaître. Dès lors, pour
respecter votre vie privée,
Microsoft propose différents
paramètres de gestion
automatique.

■ *Accepter tous les cookies* : vous naviguez sans aucune protection.

■ *Basse* : active un filtre de premier niveau sur les cookies qui exploitent
des informations personnelles sans votre permission.

■ *Moyenne* : filtre les cookies qui exploitent des informations
personnelles sans votre autorisation.

■ *Moyennement haute* : bloque tous les cookies, sauf ceux qui sont
utilisés uniquement par le serveur qui les a créés.

■ *Haute* : interdit la réception de tous les cookies.

■ *Bloquer tous les cookies* : interdit la réception de tous les cookies et ne
permet même pas aux serveurs d'accéder à ceux que vous possédez déjà.

Sélectionnez de préférence un niveau peu contraignant (*Basse* ou
Moyenne) car certains sites peuvent vous interdire la connexion si vous
optez pour une option trop sécurisée.

Le coin des passionnés

Configurer *Outlook Express*

La messagerie Internet présente également des risques de sécurité, notamment avec les fichiers attachés que vous pouvez recevoir ou certain format de message à risque, entre autres.

Les pièces attachées

La transmission par e-mail de pièces jointes à des messages contribue en grande partie à la propagation des virus sur Internet. Comme nous l'avons vu, un antivirus régulièrement mis à jour permet de se protéger, mais, parfois, certaines signatures peuvent passer au travers. Dès lors, vous devez être prudent.

Il existe effectivement certains formats de fichier dont il faut se méfier. Nous pensons notamment au format exécutable, reconnaissable par son extension *.exe*, qui désigne des programmes dont on ne connaît pas toujours la nature.

D'autres programmes présentent une extension différente et peuvent être tout aussi dangereux pour votre système. Par exemple, les applications Visual Basic, qui portent l'extension *.vbs*, peuvent faire des dégâts sur les systèmes Windows.

À ne pas négliger non plus, les documents créés par les différentes applications de la suite bureautique Office (traitement de texte, tableur, etc.). Ils peuvent intégrer des macros particulièrement dangereuses pour la stabilité de l'application et qui s'exécuteront dès l'ouverture du fichier. Conséquence : tous les autres documents portant la même extension seront également infectés.

Dans ces conditions, vous devez connaître l'extension d'un fichier attaché à un message avant de l'ouvrir. Il suffit de l'enregistrer sur votre disque et de vérifier son intitulé dans Internet Explorer.

Cela dit, les paramètres de configuration d'Outlook Express permettent également de limiter les risques.

1 À partir d'Outlook Express, sélectionnez la commande **Options** du menu **Outils**.

2 Dans la boîte de dialogue qui s'affiche, cliquez sur l'onglet **Sécurité** et cochez l'option *Ne pas*

autoriser l'ouverture ou l'enregistrement des pièces jointes susceptibles de contenir un virus. Vous pouvez également, pour conserver la confidentialité de votre adresse e-mail, cocher l'option *M'avertir lorsque d'autres applications essaient d'envoyer des messages électroniques de ma part.* ∎

Format des messages

Comme la plupart de ses concurrents, Outlook Express permet d'envoyer et de recevoir des messages au format HTML, c'est-à-dire des documents identiques à une page web. Dans ces conditions, de tels messages peuvent contenir des scripts hostiles qui pourront s'exécuter dès que vous les lirez. Pour s'en protéger, il suffit de retourner dans la boîte de dialogue précédente.

1 À partir d'Outlook Express, sélectionnez la commande **Options** du menu **Outils**.

2 Dans la boîte de dialogue qui s'affiche, cliquez sur l'onglet **Sécurité** et cochez l'option *Zone de sites sensibles.* ∎

Le coin des passionnés

Surfer sans crainte

Les principales craintes des internautes pour leur sécurité lorsqu'ils se connectent à Internet se résument en deux catégories : l'achat en ligne et la navigation des jeunes enfants sur Internet. C'est pourquoi, nous consacrons cette dernière partie à ces deux sujets.

Acheter en toute sécurité

Vous hésitez à sortir votre carte bancaire pour régler des achats en ligne ? Pourtant, il existe des moyens d'acheter en toute quiétude, sans aucun danger de se faire pirater sa carte bancaire et avec l'assurance de recevoir votre commande dans les temps, sans aucune mauvaise surprise.

Repérer les services fiables

Le commerce électronique n'est rien de plus que de la vente à distance et, à ce titre, elle doit respecter un cadre juridique bien défini. Pour vous en assurer, connectez-vous sur www.finances.gouv.fr/cybercommerce, un site mis en place par le ministère de l'Économie, des Finances et de l'Industrie pour répondre à toutes vos questions dans ce domaine.

Concrètement, lorsque vous naviguez sur le site des commerçants, vous devez vous assurer de la présence de certains éléments, en particulier d'une page intitulée "Les conditions générales de vente". Celle-ci est obligatoire et elle détermine vos recours lorsque la transaction ne se déroule pas comme prévue, et les obligations du marchand vis-à-vis de ses clients. En son absence, il n'y a pas d'hésitation possible : vous devez changer de commerce et effectuer vos achats ailleurs !

Attention toutefois, lorsque vous achetez des articles sur un site étranger, vous n'êtes plus couvert par le droit français ! Vous le faites alors à vos risques et périls.

Le paiement sécurisé

Lorsque vous envoyez une information sur Internet, elle peut être interceptée par un pirate. Certes, le risque est plutôt rare, mais il existe. Dès lors, le numéro de votre carte bancaire ne doit pas être dévoilé et il convient d'utiliser uniquement des sites sécurisés pour le transmettre.

En réalité, les paiements en ligne avec une carte bancaire doivent se dérouler à travers un formulaire sécurisé qui transmettra ensuite toutes vos coordonnées à un serveur bancaire dans un mode crypté, c'est-à-dire non lisible si les données sont interceptées par un tiers.

Concrètement, cette procédure repose sur un protocole sécurisé (SSL pour Secure Socket Layer) et s'effectue de façon transparente. Dès lors, pour savoir si le formulaire d'inscription de vos données bancaires est sécurisé, il suffit de regarder le début de l'adresse de la page. Si elle commence par https//, et non par http// comme d'habitude, alors il n'y a pas de problème. En cas de doute, sélectionnez la commande **Propriétés** du menu **Fichier** pour vérifier si la page utilise bien un protocole sécurisé lors de la transmission de vos données. Si ce n'est pas le cas, passez votre chemin !

Les labels de qualité

Vous recherchez des sites sans risque, quitte à payer un peu plus cher votre commande ? Faites alors confiance aux labels de qualité et aux assurances. Nous pensons plus particulièrement à FIA-NET dont le logo apparaît sur certaines pages d'accueil.

Plus de mille sites ont déjà souscrit cette assurance qui vous couvre gratuitement contre les détournements bancaires, sans aucune franchise. Pour en savoir plus, consultez www.fianet.fr.

Le coin des passionnés

Autre garantie, qui nous semble encore plus efficace, celle du label de la FEVAD (Fédération des entreprises de vente à distance ; www.fevad.com) qui correspond à une charte de qualité rigoureuse. Là encore, son logo est aisément reconnaissable.

Autre dispositif, mis en place par la FEVAD : le L@belsite. Il a été totalement conçu pour les sites Internet et garantit un service de qualité sans que le marchand ne soit obligé d'adhérer à la charte plus générale de la FEVAD. Pour en savoir plus : www.labelsite.org.

Le contrôle parental

Internet constitue un espace formidable pour les enfants, mais il peut également devenir un véritable cauchemar si ces derniers découvrent des sites au contenu plus que douteux. Or, il existe plusieurs techniques pour leur épargner certaines horreurs…

Configurer votre navigateur

Internet Explorer dispose de fonctions spécifiques pour filtrer le contenu des sites web ou en interdire l'accès.

1 Démarrez votre navigateur et sélectionnez la commande **Options Internet** du menu **Outils**.

2 Dans la boîte de dialogue qui apparaît, activez l'onglet **Contenu** pour accéder au Gestionnaire d'accès. Celui-ci permet de définir des mots-clés pour bloquer les connexions. Cliquez sur le bouton **Activer**.

Gestionnaire d'accès

Le contrôle d'accès vous permet de contrôler le type de contenu Internet qui peut être visualisé sur cet ordinateur.

Activer... | Paramètres...

3 Vous disposez ici de quatre catégories (*Langue, Nudité, Sexe* et *Violence*). Chacune d'elles présente cinq niveaux d'accès identiques.

■ *Niveau 0* : laisse passer les textes contenant de l'argot, mais pas les insultes.

■ *Niveau 1* : permet l'affichage des sites dont les pages contiennent des jurons modérés.

■ *Niveau 2* : permet l'affichage de pages qui contiennent des références anatomiques, mais sans connotation sexuelle.

■ *Niveau 3* : ne filtre pas les pages vulgaires et celles qui contiennent des gestes obscènes.

■ *Niveau 4* : aucun filtre. ■

Attention toutefois, la technique de filtrage n'est pas efficace à 100 % et mieux vaut toujours avoir un œil sur vos enfants lorsqu'ils naviguent sur le Web !

Vous pouvez encore peaufiner la configuration de votre navigateur en indiquant explicitement les adresses des sites dont vous autorisez ou interdisez l'affichage.

Le coin des passionnés

···▶ **1** Cliquez sur l'onglet **Sites autorisés** et saisissez les adresses des sites qui vous intéressent dans le cadre *Autoriser ce site Web*. Pour permettre l'affichage, validez l'adresse avec le bouton **Toujours**. À l'inverse, pour le filtrer, cliquez sur le bouton **Jamais**.

2 La liste des sites s'affiche dans cette même boîte de dialogue avec, pour chacun d'eux, un symbole spécifique pour l'interdiction ou l'autorisation. ∎

Les programmes

Si vous trouvez le système de protection parentale insuffisant dans Internet Explorer, vous pouvez alors installer un logiciel supplémentaire, entièrement conçu à cet effet.

De telles solutions n'exigent généralement aucune configuration particulière, mais vous devrez toutefois choisir un niveau de sécurité spécifique selon l'âge de votre enfant. Bien entendu, une configuration conçue pour les adultes, accessible par mot de passe, vous permettra d'utiliser votre navigateur sans filtre. Notez toutefois que vous disposez toujours de la possibilité d'indiquer vos propres mots-clés pour perfectionner les filtres de navigation.

En pratique, une fois installé, ce type de logiciel fonctionne en permanence et la navigation sur le Web est filtrée sur plusieurs points : texte, images, animations, horaire de connexion…

Nous avons sélectionné dans le tableau qui suit cinq logiciels que vous pouvez télécharger sur le Web. Ils existent tous en version de démonstration, ce qui vous permettra de les tester avant d'en acquérir la licence.

Les logiciels de contrôle parental

Nom	Adresse	Commentaire
ICRA	www.social.gouv.fr/ famille-enfance/index.htm	Outil de contrôle parental élaboré en partenariat avec l'UNAF (Union nationale des associations familiales) et l'AFA (Association des fournisseurs d'accès). Gratuit et parfaitement adapté à la navigation sur le Web francophone.
Cyber Patrol	www.cyberpatrol.com	Produit très complet, mais uniquement diffusé en langue anglaise (ne permet pas de définir des termes accentués pour élaborer les filtres).
CyberSitter	www.cybersitter.com	Le logiciel n'existe qu'en version anglaise et exige une configuration puissante pour fonctionner. Cela dit, il est très complet.
Norton Internet Security	www.symantec.fr	Simple à utiliser, mais ne propose aucun dispositif pour indiquer vos propres mots-clés si vous souhaitez élaborer vous-même vos filtres.
OpteNet	www.optenet.fr	Simple à utiliser, ce produit français ne manque pas d'intérêt, mais il est toutefois limité au seul espace web (pas de filtre pour le courrier ou les newsgroups, par exemple).

Le coin des passionnés

Personnaliser
la barre d'outils

La barre d'outils d'Internet Explorer constitue un espace essentiel où vous pouvez accéder rapidement aux principales commandes du navigateur. Mais celles qui sont proposées par défaut ne peuvent pas convenir à tous. C'est pourquoi, Microsoft a tout prévu pour personnaliser sa barre de commandes et rien ne vous interdit d'y ajouter ou de supprimer toutes les fonctions qui vous intéressent ou non.

1 Démarrer Internet Explorer et sélectionnez la commande **Barres d'outils/Personnaliser** du menu **Affichage**.

2 Une nouvelle boîte de dialogue s'affiche avec deux cadres à votre disposition : les boutons disponibles à gauche et les boutons intégrés dans

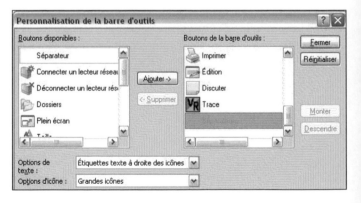

la barre d'outils. Pour ajouter de nouveaux boutons, il suffit de les sélectionner à gauche et de cliquer sur le bouton **Ajouter**. Vous pouvez également cliquer sur le bouton **Supprimer**, après avoir sélectionné à droite les boutons que vous souhaitez retirer.

3 Vous disposez de deux listes déroulantes en bas de la fenêtre. La première permet de placer à votre guise le texte qui accompagne chaque bouton

de la barre d'outils : texte à droite de l'icône, en dessous ou aucun texte. La seconde, intitulée *Options d'icône*, vous propose deux tailles de boutons (petite ou grande).

4 Pour modifier l'ordre d'apparition des boutons dans la barre d'outils, sélectionnez celui que vous souhaitez déplacer et cliquez sur le bouton **Monter** ou **Descendre**. Vous pouvez utiliser des séparateurs (petite barre transversale) pour regrouper vos boutons par thèmes et mieux les distinguer. Le séparateur est disponible dans le cadre gauche et vous pouvez le transférer dans celui de droite à l'instar de n'importe quel bouton.

5 Enfin, si vous regrettez vos choix et que vous souhaitez revenir à la disposition de départ, rien de plus simple : cliquez sur le bouton **Réinitialiser**. ■

Pour terminer, sachez que certains fournisseurs d'accès Internet ajoutent leur propre barre d'outils, ou graphique, dans l'interface de votre navigateur favori et il n'est pas toujours aisé de les supprimer si vous n'en avez aucune utilité. Il existe toutefois une solution : ouvrez le répertoire C:\Program Files\Internet Explorer\Signup **et supprimez tous les fichiers portant l'extension** *.bmp*.

Les raccourcis clavier

Pour naviguer plus efficacement sur le Web avec Internet Explorer, ou pour accéder plus rapidement à ses fonctions, vous disposez de plusieurs raccourcis clavier.

Les raccourcis clavier

Touches	Description
F1	Affiche l'aide ou, dans une boîte de dialogue, l'aide contextuelle relative à un élément
F11	Bascule entre les modes Plein écran et Normal de la fenêtre du navigateur
Tab	Permet de se déplacer en avant entre les éléments d'une page web, la barre d'adresses et la barre des liens
Maj+Tab	Permet de se déplacer en arrière entre les éléments d'une page web, la barre d'adresses et la barre des liens
Alt+Origine	Affiche la page de démarrage
Alt+Droite	Affiche la page suivante
Alt+Gauche ou Retour Arrière	Affiche la page précédente
Maj+F10	Affiche le menu contextuel d'un lien
Ctrl+Tab ou F6	Permet de se déplacer en avant dans les cadres
Maj+Ctrl+Tab	Permet de se déplacer en arrière dans les cadres
Haut	Fait défiler la page jusqu'au début
Bas	Fait défiler la page jusqu'à la fin
PgPréc	Fait défiler la page jusqu'au début par intervalles plus importants
PgSuiv	Fait défiler la page jusqu'à la fin par intervalles plus importants
Origine	Affiche le début d'un document
Fin	Affiche la fin d'un document
Ctrl+F	Recherche sur la page
F5 ou Ctrl+R	Mise à jour de la page
Échap	Abandonne le transfert d'une page
Ctrl+O ou Ctrl+L	Permet d'aller à un nouvel emplacement
Ctrl+N	Ouvre une nouvelle fenêtre
Ctrl+W	Referme la fenêtre
Ctrl+S	Enregistre la page
Ctrl+P	Imprime la page ou le cadre actif

Touches	Description
Entrée	Active un lien sélectionné
Ctrl+E	Ouvre la barre de recherche
Ctrl+I	Ouvre la barre des Favoris
Ctrl+H	Ouvre la barre de l'Historique
Alt+P	Définit les options d'impression et imprime la page
Alt+U	Modifie le papier, les en-têtes, les pieds de page, l'orientation et les marges de la page
Alt+Origine	Affiche la première page à imprimer
Alt+Gauche	Affiche la page précédente à imprimer
Alt+A	Insère le numéro de page à afficher
Alt+Droite	Affiche la page suivante à imprimer
Alt+Fin	Affiche la dernière page à imprimer
Alt+-	Zoom arrière
Alt++	Zoom avant
Alt+Z	Affiche la liste des pourcentages de zoom
Alt+F	Définit le mode d'impression des cadres (cette fonction n'est accessible que si vous imprimez une page web avec des cadres)
Alt+C	Ferme l'aperçu avant impression
Alt+D	Sélectionne le texte de la barre d'adresses
F4	Affiche la liste des adresses que vous avez saisies
Ctrl+Gauche	Dans la barre d'adresses, place le curseur à gauche du séparateur logique suivant (point ou barre oblique)
Ctrl+Droite	Dans la barre d'adresses, place le curseur à droite du séparateur qui suit (point ou barre oblique)
Ctrl+Entrée	Ajoute **www** au début et **.com** à la fin du texte saisi dans la barre d'adresses
Ctrl+D	Ajoute la page en cours sur la liste de vos favoris
Ctrl+B	Ouvre la boîte de dialogue **Organiser les Favoris**
Alt+Haut	Déplace l'élément sélectionné vers le haut sur la liste des favoris dans la boîte de dialogue **Organiser les Favoris**
Alt+Bas	Déplace l'élément sélectionné vers le bas sur la liste des favoris dans la boîte de dialogue **Organiser les Favoris**
Ctrl+X	Supprime les éléments sélectionnés et les copie dans le Presse-papiers
Ctrl+C	Copie les éléments sélectionnés vers le Presse-papiers
Ctrl+V	Insère le contenu du Presse-papiers à l'emplacement sélectionné
Ctrl+A	Sélectionne la totalité des éléments sur la page web active

Les codes d'erreur du Web et quelques solutions (1)

Lorsque vous naviguez sur le Web, vous pouvez vous trouver face à des erreurs de toutes sortes. En général, vous obtenez une page spécifique qui contient un code d'erreur. Et rares sont les utilisateurs qui en connaissent la signification. Dommage, car si c'était le cas, ils pourraient parfois contourner l'erreur et obtenir la page qu'ils souhaitent afficher. Nous vous indiquons les principaux codes d'erreurs que vous pouvez rencontrer, et leur remède éventuel.

Erreur 301

Le document que vous souhaitez afficher a été déplacé de façon permanente.

Connectez-vous sur la page d'accueil du site en supprimant de l'adresse sa dernière partie pour ne conserver qu'une URL de type http://www.adresse.com. Essayez ensuite de retrouver votre document en visitant les rubriques proposées. Vous pouvez également envoyer un e-mail au webmestre pour lui demander son nouvel emplacement.

Erreur 302

Le document que vous souhaitez afficher a été déplacé de façon temporaire.

Vous pouvez tenter votre chance plus tard ou un autre jour. La page que vous recherchez devrait être disponible prochainement sous l'adresse que vous venez d'indiquer.

Erreur 400

Il y a une erreur de syntaxe dans l'adresse du document.

Saisissez une nouvelle fois l'adresse de la page en faisant bien attention à sa syntaxe.

Erreur 401

Vous n'avez pas l'autorisation d'accéder au document que vous souhaitez afficher.

La page que vous voulez consulter est vraisemblablement protégée par un mot de passe. Dans ces conditions, contacter le service pour l'obtenir.

Erreur 402

La page que vous voulez consulter est accessible, mais payante : vous devez auparavant vous acquitter d'une somme fixée par le service.

Envoyez un message au responsable du site pour vous abonner ou trouvez sur leur page le formulaire de paiement en ligne.

Erreur 403

Vous n'avez pas l'autorisation d'accéder au serveur. Cela signifie que toutes les pages du site vous sont interdites.

Essayez de contacter le responsable du site pour connaître la raison de cette interdiction. En général, votre domaine (celui de votre fournisseur d'accès Internet plus précisément) a été bloqué à la suite d'actions indélicates de la part de certains abonnés (spam, tentative de piratage, etc.).

Erreur 404

Probablement l'erreur la plus fréquente. Elle indique que la page à afficher n'existe plus à l'adresse que vous avez indiquée.

Connectez-vous à la page d'accueil du site en supprimant de l'adresse sa dernière partie pour ne conserver qu'une URL de type http://www.adresse.com. Essayez ensuite de retrouver votre document en visitant les rubriques proposées.

Les codes d'erreur du Web et quelques solutions (2)

Les erreurs sont légion sur le Web et certaines peuvent être résolues, comme nous l'avons vu dans la fiche précédente. Cela dit, ce n'est pas toujours le cas, surtout avec les codes d'erreur 500.

Erreur 405

Cette erreur désigne généralement une faute de programmation dans un formulaire. Elle survient lorsque, après avoir rempli tous les champs, vous soumettez la page en cliquant sur le bouton correspondant. En d'autres termes, l'erreur 405 renvoie à une méthode de requête de formulaire non autorisée sur le serveur.

Il n'y a pas grand-chose à faire. Vous pouvez retenter votre chance plus tard en espérant que le webmestre aura résolu ce dysfonctionnement. Vous pouvez également tenter d'envoyer les informations d'une autre façon, par e-mail par exemple. Ou bien contactez le responsable du site pour le prévenir de l'erreur.

Erreur 406

La requête que vous essayez d'exécuter n'est pas acceptée par le serveur et elle ne peut pas être traitée.

Si vous avez cliqué sur un lien ou sur un bouton intégré dans une page du site, contactez le webmestre pour le prévenir de cette erreur. Vous pouvez également tenter votre chance plus tard, l'erreur n'est peut-être que temporaire (fonctionnalité désactivée pendant le temps d'une réparation ou d'une opération de maintenance).

Erreur 407

Pour accéder à la page que vous souhaitez afficher, vous avez besoin de l'autorisation du serveur proxy.

Si vous passez par le serveur proxy de votre fournisseur d'accès Internet, désactivez-le dans les paramètres de configuration d'Internet Explorer.

···▶ **1** Sélectionnez la commande **Options Internet** du menu **Outils**.

2 Dans la boîte de dialogue qui s'affiche, cliquez sur l'onglet **Connexions** et sur le bouton **Paramètres** de la rubrique *Options de numérotation et paramètres de réseau privé virtuel*.

3 Dans la nouvelle boîte de dialogue qui apparaît, désactivez l'option *Utiliser un serveur proxy pour cette connexion* dans la section *Serveur proxy*. Validez ensuite les boîtes de dialogue par OK et retentez votre chance. ■

Erreur 408

La page à consulter met trop de temps à s'afficher et la requête vient d'être interrompue. Retentez votre chance maintenant et plus tard.

Erreur 500

Vous êtes en face d'une erreur interne du serveur. Aucun remède à tenter de votre côté, il faut attendre que le service technique trouve une solution au dysfonctionnement du serveur.

Erreur 502

Votre requête a emprunté une mauvaise passerelle d'accès.

À l'instar de toutes les autres erreurs de type 500, il n'y a rien à faire de votre côté, si ce n'est prendre votre mal en patience.

Erreur 503

Le service que vous tentez d'utiliser est pour le moment indisponible. Revenez plus tard !

Accélérer
Internet Explorer

Avec le temps, votre navigateur peut devenir de plus en plus lent ou votre connexion peut vous sembler considérablement ralentie. Plusieurs solutions existent.

Avant tout, si le problème semble provenir de la rapidité de votre liaison, sachez qu'Internet Explorer n'est probablement pas le coupable. Il faudra plutôt chercher du côté de la qualité du service de votre fournisseur d'accès Internet si le phénomène se reproduit trop souvent.

Quoi qu'il en soit, si vous voulez accélérer l'affichage des pages, vous pouvez paramétrer Internet Explorer à cet effet.

1 Démarrez votre navigateur et sélectionnez la commande **Options Internet** du menu **Outils**.

2 Dans la boîte de dialogue qui s'affiche, cliquez sur l'onglet **Avancé** et faites défiler la liste des paramètres jusqu'à la section *Multimédia*.

3 Pour accélérer le chargement des pages web, désactivez l'affichage de certains éléments particulièrement lents. Désactivez les options *Afficher les images*, *Lire les animations dans les pages Web*, *Lire les sons dans les pages Web* et *Lire les vidéos dans les pages Web*. ■

De cette façon, il ne restera plus que le texte à consulter et l'apparition des pages sera bien plus rapide.

Si vous pensez que c'est plutôt votre navigateur qui semble lent pendant son exécution, vous pouvez effectuer un petit nettoyage.

1 Toujours dans la boîte de dialogue **Options Internet**, cliquez sur l'onglet **Général** et, sous la section *Historique*, sélectionnez le bouton **Effacer l'Historique**.

2 Passez à présent sous la rubrique *Fichiers Internet temporaires* et cliquez sur le bouton **Supprimer les fichiers**. ■

Si vous disposez d'une connexion permanente à haut débit, et si vous naviguez chaque jour de nombreuses heures, vous avez peut-être intérêt à augmenter la taille de votre cache.

1 Sous la section *Fichiers Internet temporaires*, cliquez sur le bouton **Paramètres**.

2 Dans la boîte de dialogue **Paramètres**, déplacez la barre intitulée *Espace disque à utiliser* pour augmenter l'espace dédié à votre cache (ou indiquez le chiffre souhaité, en mégaoctets, dans l'emplacement prévu à cet effet). Si vous disposez d'un autre disque dur plus rapide que le lecteur C, rien ne vous interdit de déplacer votre cache. Cliquez alors sur le bouton **Déplacer le dossier**.

3 Sélectionnez sur le disque un emplacement qui est plus rapide pour stocker les fichiers du cache d'Internet Explorer. Il ne vous reste plus ensuite qu'à valider toutes les boîtes de dialogue pour rendre les changements effectifs. Notez cependant que si vous avez déplacé le dossier du cache, il sera alors nécessaire de redémarrer votre ordinateur. ■

Partager des fichiers
avec Internet Explorer

Le P2P désigne de nombreux services d'échange de fichiers en direct entre les utilisateurs. À la différence de ses concurrents, le réseau MediaSeek permet de le faire en toute simplicité à partir d'Internet Explorer.

Toutefois, vous devrez installer un plug-in spécifique pour profiter de leur service qui repose exclusivement sur l'échange de fichiers au format MP3.

1 Connectez-vous sur www.mediaseek.pl pour télécharger le plug-in (section *Download*). Double-cliquez sur l'intitulé du fichier que vous venez de récupérer pour démarrer l'installation. Validez par **Next** ou **Suivant** les différentes boîtes de dialogue qui s'affichent et cliquez sur le bouton **Finish** au terme de la procédure pour démarrer le programme.

2 Dans la boîte de dialogue **Login Information** qui s'affiche, cliquez sur *Register new account* pour créer un compte.

3 Dans la nouvelle fenêtre qui s'ouvre, indiquez un nom et un mot de passe, cliquez ensuite sur **Register**.

4 Retournez dans la boîte de dialogue **Login Information** et inscrivez votre nom et mot de passe. Cliquez sur OK.

5 Dans la fenêtre de MediaSeek, cliquez sur le bouton **MediaSeek.pl**. Vous vous connecterez ainsi sur le site web du service, sous votre nom d'utilisateur.

6 Dans la zone de recherche en haut de page, inscrivez un mot clé pour lancer la recherche et cliquez sur le bouton **Seek**. Le résultat ne se fera pas attendre. Une liste de fichiers disponibles sur le réseau de MediaSeek apparaît immédiatement.

Le fonctionnement du service est identique à celui d'un moteur de recherche. Il suffit de cliquer, dans la liste de résultats, sur l'icône symbolisée par une flèche satellite qui apparaît à droite des chansons pour transférer immédiatement le fichier correspondant.

7 Pour connaître l'état de vos téléchargements, retournez dans la fenêtre du plug-in de MediaSeek et sélectionnez la commande **Download Queue** du menu **Request**. Dans la nouvelle fenêtre qui s'affiche, vous disposez d'une liste de tous vos fichiers en cours de téléchargement.

8 Notez que vous pouvez déterminer le nombre de fichiers maximum à télécharger simultanément à partir des autres machines connectées, et le nombre maximum de connexions simultanées sur votre ordinateur. Il suffit de sélectionner la commande **Transfer limits** du menu **Options** et d'indiquer dans les zones de texte correspondantes les valeurs que vous souhaitez.

9 Enfin, vous pouvez indiquer les répertoires dont vous souhaitez partager le contenu avec les autres utilisateurs du réseau en sélectionnant la commande **Shared Dirs** du menu **Options**. ■

Navigation assistée
avec MSN Explorer

Les possesseurs de Windows XP possèdent une version simplifiée d'Internet Explorer : MSN Explorer. Notez qu'elle est cependant disponible pour tous à l'adresse http://explorer.msn.fr/.

MSN Explorer présente une interface multifonction permettant d'accéder en toute simplicité à toutes les ressources d'Internet : Web, e-mail, messagerie instantanée, etc.

La procédure d'installation est très simple et est totalement prise en charge par un assistant spécifique ; de même pour les mises à jour qui s'effectuent automatiquement pendant vos connexions.

Pour les utilisateurs de Windows XP, le produit est d'ores et déjà présent sur votre système. Pour le démarrer, sélectionnez la commande **MSN Explorer** du menu **Démarrer** de la barre des tâches de Windows.

1 Au premier démarrage, un message vous demande si vous souhaitez vous connecter à Internet et composer votre courrier électronique avec MSN Explorer. Répondez par **Oui** si vous souhaitez avoir accès aux commandes de MSN Explorer directement à partir du menu **Démarrer** de la barre des tâches de Windows.

2 Indiquez ensuite, sur la liste déroulante qui apparaît, votre pays, *France* en l'occurrence. Cliquez sur **Continuer** pour vous connecter au service.

3 Le programme vous demande si vous possédez déjà une adresse de messagerie chez Hotmail ou MSN. Indiquez celle que vous avez créée précédemment dans le chapitre consacré à Outlook Express et cliquez sur **Continuer**.

4 Si votre adresse est valide, un écran de bienvenue s'affiche et vous

pouvez cliquer sur le bouton **Se connecter** pour accéder au service.

5 L'interface de MSN Explorer apparaît. Nous vous conseillons de cliquer sur le bouton **Effectuer la visite guidée** pour découvrir toutes les fonctionnalités du programme. ■

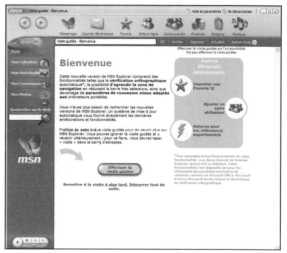

Si vous avez compris le fonctionnement d'Internet Explorer, alors celui de MSN Explorer ne vous posera aucune difficulté. Vous disposez d'une barre d'outils plus simple, comparée à celle que nous avons vue avec Internet Explorer, qui vous donne un accès direct aux principales fonctions du service.

Pour personnaliser votre logiciel, cliquez dans la barre des titres sur la commande **Aide et paramètres**. ⟨?⟩ Aide et paramètres

Vous disposez ici de nombreux assistants pour vous guider dans la configuration du programme. Les modifications suivantes sont possibles :

■ modification de votre mot de passe avec un formulaire ;

■ modification du contenu de votre page de démarrage ;

■ ajout de nouveaux utilisateurs pour partager MSN Explorer (neuf au maximum) ;

■ modification de votre nom qui apparaît avec votre adresse électronique (à ne pas confondre avec l'identifiant qui se trouve à gauche de l'arobase @) ;

■ modification de votre avatar, c'est-à-dire l'image qui vous représente sur MSN Explorer ;

■ modification des sons associés à chaque événement (réception du courrier électronique, connexion d'un nouvel ami, etc.) ;

■ personnalisation de vos sélections, c'est-à-dire des fonctionnalités disponibles dans l'interface de MSN Explorer ;

■ mise en place de filtres pour le courrier électronique ;

■ création d'une signature électronique qui sera automatiquement ajoutée en bas de tous vos messages.

Naviguer
sur les sites FTP

Internet Explorer permet effectivement de découvrir Internet par le Web, mais pas seulement. Par exemple, avec le navigateur, vous pouvez accéder à d'autres espaces tout aussi intéressants que l'on nomme FTP.

Les sites FTP permettent de stocker et de diffuser toutes sortes de fichiers (images, documents…) et surtout des logiciels. De plus, la majorité n'exige aucun mot de passe pour y accéder. En d'autres termes, ils sont ouverts à tous. Voyons comment profiter de leurs ressources.

1 Saisissez l'adresse d'un serveur FTP dans la barre d'adresses d'Internet Explorer comme vous le faites d'habitude pour les sites web. Seule différence : l'adresse doit débuter par ftp:// et non par http://. Connectez-vous par exemple sur le site FTP de Microsoft : ftp://ftp.microsoft.com.

2 L'interface d'un serveur FTP est identique à celle de l'Explorateur Windows. En d'autres termes, plusieurs dossiers s'offrent à vous et vous devez les parcourir, en double-cliquant sur leur icône, pour découvrir leur contenu.

3 Pour télécharger un fichier sur votre ordinateur, cliquez sur son intitulé avec le bouton droit de la souris et sélectionnez à partir du menu contextuel la commande **Copier dans un dossier**.

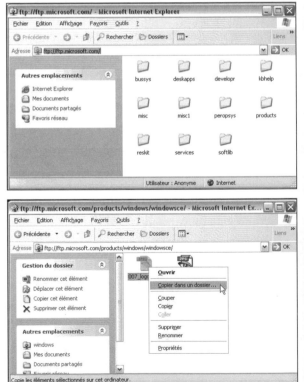

4 Une boîte de dialogue s'affiche et il ne vous reste plus qu'à sélectionner le dossier où vous souhaitez transférer le fichier. Validez par OK pour démarrer le téléchargement.

5 En connexion anonyme, vous pouvez généralement récupérer des fichiers, mais vous ne pourrez pas les déplacer d'un dossier à l'autre sur le serveur, voire en déposer à partir de votre machine. Ce type de manipulation est réservé aux utilisateurs identifiés (qui possèdent un login et un mot de passe). Si c'est votre cas, vous pouvez les indiquer en sélectionnant la commande **Se connecter en tant que** du menu **Fichier**.

6 Dans la boîte de dialogue qui s'affiche, inscrivez votre identifiant et votre mot de passe pour vous identifier sur le serveur. Cliquez ensuite sur le bouton **Ouvrir une session**. ■

En général, les logiciels disponibles pour le public se trouvent dans le répertoire PUB. Pour connaître le contenu d'un serveur FTP, il faut télécharger un fichier texte intitulé le plus souvent index.txt ou readme, par exemple.

Pour renommer ou supprimer des fichiers ou des répertoires sur un serveur FTP, ou déposer des documents, utilisez les mêmes commandes que celles que vous connaissez déjà dans l'Explorateur Windows ou le Poste de travail. Vous ne serez pas dépaysé.

Imprimer
des pages web

Les dernières versions d'Internet Explorer ont considérablement amélioré la fonction d'impression. Les documents web peuvent poser de nombreux problèmes dans ce domaine : page trop large, couleur du texte illisible, cadres, etc. Heureusement, vous disposez désormais d'une commande qui a pensé à tout pour obtenir sur une sortie papier la réplique exacte du document affiché dans la fenêtre du navigateur.

1 Pour vous assurer du résultat de votre impression, affichez la page dans la fenêtre du navigateur et sélectionnez la commande **Aperçu avant impression** du menu **Fichier**.

2 Vous pouvez consulter à l'écran le résultat de ce que vous obtiendrez à l'impression sur papier. S'il vous convient, cliquez sur **Imprimer**. ■

Selon les situations, les pages à imprimer peuvent poser des problèmes. Mais il existe toujours une solution.

■ **Si la page à imprimer est trop large…**

1 … vous pouvez modifier son aspect avant de l'imprimer en sélectionnant la commande **Mise en page** du menu **Fichier**.

2 La boîte de dialogue qui apparaît vous permet de modifier la taille des marges, de définir l'orientation de l'impression (*Portrait* ou *Paysage*) et de spécifier les informations à imprimer dans l'en-tête ou le pied de page. Vous disposez effectivement de variables que nous avons reproduites dans le tableau ci-après. ■

Les variables d'impression	
Variable	**Description**
&w	Pour le titre de la fenêtre
&u	Pour l'adresse de la page
&d	Pour la date au format abrégé
&D	Pour la date au format long
&t	Heure au format spécifié dans vos paramètres régionaux
&T	Heure au format 24 heures
&p	Numéro de la page en cours
&P	Nombre total de pages
&b	Texte aligné à droite (après &b)
&b&b	Texte centré (après &b)
&&	Esperluette (et commercial) simple (&)

■ Si la page à imprimer contient des cadres (frames)...

1 ... sélectionnez la commande **Imprimer** du menu **Fichier**.

2 Dans la fenêtre qui s'affiche, cliquez sur l'onglet **Options**. Vous pouvez choisir ici la page à imprimer telle qu'elle apparaît à l'écran, ou uniquement le cadre qui vous intéresse, ou chaque cadre sur une page individuelle. ■

■ Enfin, si vous voulez imprimer uniquement quelques lignes d'une page...

1 ... sélectionnez le texte qui vous intéresse et choisissez la commande **Imprimer** du menu **Fichier**.

2 Sous l'onglet **Général** de la boîte de dialogue qui s'affiche, cochez l'option *Sélection* et cliquez sur le bouton **Imprimer** pour imprimer votre sélection. ■

Enregistrer
une page web

Une page web désigne un fichier texte dont les éléments (graphiques, animations, etc.) sont référencés par des liens. Si vous souhaitez l'enregistrer localement, il existe plusieurs options, et une seule commande.

1 Démarrez Internet Explorer et affichez la page à enregistrer dans la fenêtre du navigateur. Attendez bien la fin de son chargement avant de sélectionner la commande **Enregistrer sous** du menu **Fichier**.

2 Sélectionnez le répertoire où vous souhaitez enregistrer la page et, dans la zone de texte *Nom*, inscrivez un nom pour le document.

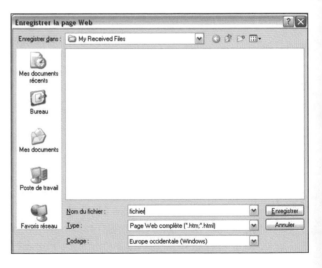

3 Sur la liste déroulante intitulée *Type*, sélectionnez un type de fichier. Il en existe quatre.

■ Pour enregistrer tous les fichiers
constitutifs de la page (images, cadres,
applets Java, animations, vidéos, feuilles de style, etc.), sélectionnez l'option *Page
Web complète*. De cette façon, vous obtiendrez tous les fichiers dans leur format
d'origine. Ainsi, vous pourrez consulter la page web sans vous connecter. Tous les
fichiers associés à la page HTML seront stockés par Internet Explorer dans un dossier
particulier créé pendant la procédure d'enregistrement.

■ Pour enregistrer tous les fichiers
constitutifs de la page dans un seul
fichier au format MIME encodé (extension *.mht*), sélectionnez l'option *Archive Web*.
Cette commande à la particularité de sauvegarder un cliché de la page web en cours.
Comme la précédente option, vous pourrez consulter la totalité de la page
ultérieurement, sans qu'il soit nécessaire de vous connecter.

■ Pour enregistrer uniquement la page
HTML (extension *.htm* ou *.html*) en cours,
sélectionnez l'option *Page Web HTML uniquement*. Cette commande permet de
sauvegarder les informations de la page web, c'est-à-dire le code source, sans
enregistrer les images, les sons, les animations… Vous ne disposerez d'aucun autre
fichier, hormis le fichier de base au format HTML, c'est-à-dire un simple fichier texte.

■ Enfin, pour enregistrer uniquement le
texte de la page web en cours,
sélectionnez l'option *Fichier texte*. Vous obtiendrez ainsi un fichier portant
l'extension *.txt* qui contiendra uniquement les informations de la page web en
cours, au format texte. ■

**Bien entendu, et dans tous les cas, pour enregistrer la page, vous devez cliquez
sur le bouton Enregistrer après avoir sélectionné l'option de votre choix.**

Naviguer anonymement

Il ne faut pas croire que vous êtes anonyme quand vous surfez sur le Web. Certes, lorsque vous vous connectez sur un site web, aucune procédure ne permet normalement de divulguer votre nom ou votre adresse. Du moins, en apparence…

En réalité, à chaque requête, votre navigateur envoie des informations bien précises pour identifier votre machine. Rien d'anormal à cela, ce principe est clairement établi dans le protocole HTTP, c'est-à-dire les règles qui régissent les échanges et la communication sur le Web.

1 Pour connaître le type d'information que vous envoyez sur les serveurs web à chacune de vos requêtes, connectez-vous sur le site de la CNIL à l'adresse www.cnil.fr/traces/index.htm.

2 Cliquez sur le lien *Démonstration* dans la fenêtre centrale. Le site propose quatre catégories regroupant différents types d'informations à propos de votre machine et de votre connexion : *Configuration*, *Météo*, *Parcours* et *Traces*.

■ La section *Configuration* indique votre adresse IP, le système d'exploitation que vous utilisez, l'adresse de la dernière page que vous avez affichée… Impressionnant ! À chaque requête, votre navigateur envoie des variables dites d'environnement au serveur, ce qui, comme nous l'avons dit, a été complètement prévu dans le protocole du Web. De telles variables sont utiles aux développeurs et aux administrateurs des serveurs pour la mise en place de leur service, entre autres.

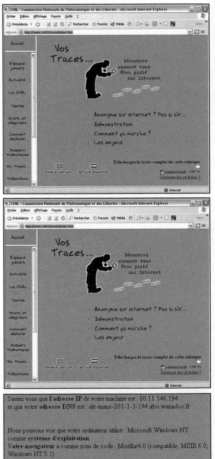

■ La section *Météo* vous indique si vous avez déjà affiché cette page et, le cas échéant, combien de fois. Cette information est obtenue grâce à un cookie.

Reportez-vous au chapitre «La sécurité» pour en savoir plus à ce sujet.

■ La section *Parcours* vous indique toutes les pages que vous avez consultées sur le site. Cette information est obtenue par l'analyse du fichier log (ou journal) du serveur. Un programme identifie votre adresse IP, et il devient facile à partir de là de connaître votre parcours sur le site.

■ Enfin, la section *Trace* vous donne une idée des traces de navigation que vous laissez sur votre machine. Nous y reviendrons plus en détail dans la prochaine fiche. ■

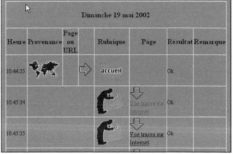

Dès lors, comment naviguer anonymement sur Internet sans transmettre toutes ces informations ? La solution consiste à passer par une interface web qui effectuera la requête à votre place et l'affichera ensuite. De cette façon, les informations personnelles seront envoyées par le service intermédiaire, et non plus par votre navigateur.

1 Connectez-vous sur Anonymizer à l'adresse http://anonymizer.secuser.com.

2 Inscrivez l'adresse du site que vous voulez afficher anonymement dans le champ conçu à cet effet et cliquez sur **Go**.

3 Comme vous pouvez le constater, le site s'affiche sans problème, mais, en haut de la page, vous disposez d'un menu supplémentaire pour continuer votre navigation anonymement. ■

Effacer vos traces
de navigation

Si vous partagez votre machine au bureau ou à la maison, vous n'avez peut-être pas envie que les autres utilisateurs connaissent les sites où vous vous connectez. Dès lors, plusieurs mesures doivent être prises.

1 Commencez par supprimer l'historique qui permet d'enregistrer l'adresse des sites que vous visitez. Sélectionnez la commande **Options Internet** du menu **Outils**.

2 Dans la boîte de dialogue qui s'affiche, sous l'onglet **Général**, cliquez sur le bouton **Effacer**

Historique

Le dossier Historique contient les liens vers les pages que vous avez récemment affichées, afin d'y accéder rapidement.

Jours pendant lesquels ces pages sont conservées : 20 — Effacer l'Historique

l'historique de la section *Historique*. Notez que vous pouvez également supprimer directement le contenu du répertoire *Windows/Historique* dans l'Explorateur Windows, cela aura le même effet. ■

Néanmoins, cette technique a l'inconvénient de supprimer toutes les adresses de l'historique sans faire de distinction. Pour ne pas tout effacer, il existe plusieurs façons de procéder.

1 Sélectionnez l'entrée **Exécuter** du menu **Démarrer** de la barre des tâches de Windows et inscrivez l'instruction Regedit dans la boîte de dialogue qui s'affiche. Cliquez sur OK.

Exécuter

Entrez le nom d'un programme, dossier, document ou d'une ressource Internet, et Windows l'ouvrira pour vous.

Ouvrir : regedit

OK   Annuler   Parcourir...

2 Dans la fenêtre de l'éditeur de la base de registre, affichez le contenu de la clé *HKEY_CURRENT USER\Software\Microsoft\Internet Explorer* à partir de l'arborescence du menu gauche.

Sous cette clé, vous trouverez un dossier intitulé *TypedURLs*. Double-cliquez sur son intitulé pour l'ouvrir. Il ne vous reste plus maintenant qu'à supprimer la ou les adresses que vous souhaitez effacer. ■

Enregistrement des adresses

Pour éviter d'enregistrer les adresses que vous visitez sur la liste d'adresses de votre navigateur, il suffit de ne plus les saisir dans la barre d'adresses. Utilisez à la place la boîte de dialogue **Ouvrir** que vous pouvez afficher avec la commande **Ouvrir** du menu **Fichier**.

Notez que la fonction de saisie semi-automatique d'Internet Explorer se révèle également bien indiscrète. Voyons alors comment la désactiver.

1 Sélectionnez la commande **Options Internet** du menu **Outils** et cliquez sur l'onglet **Contenu**.

2 Dans la section *Informations personnelles*, cliquez sur le bouton **Saisie semi-automatique** et désactivez l'option *Adresses Web* de la section *Utiliser la saisie semi-automatique pour*. ■

N'oubliez pas non plus votre cache qui stocke toutes les pages que vous affichez.

1 Toujours dans la même boîte de dialogue des Options Internet, sous l'onglet **Général**, cliquez sur le bouton **Supprimer les fichiers** de la section *Fichiers Internet temporaires*.

2 Pour automatiser cette tâche, cliquez sur l'onglet **Avancé** et sélectionnez l'option *Vider le dossier Temporary Internet Files* lorsque le navigateur est fermé. ■

En savoir plus
sur les sites

Comme nous l'avons vu, les sites web peuvent facilement récupérer des informations à propos de vous et de votre connexion pendant que vous affichez leurs pages. Vous pouvez également en savoir plus sur les sites que vous visitez.

Chaque site est identifiable par son nom de domaine, c'est-à-dire une adresse de type www.son_adresse.com. Cette adresse peut vous en apprendre beaucoup. Ainsi, vous pouvez connaître l'emplacement géographique en passant par un petit utilitaire appelé VisualRoute.

1 Connectez-vous sur www.visualroute.com et allez à la section *Download* pour télécharger une version d'évaluation gratuite pendant 30 jours.

2 Après avoir récupéré le fichier *vr.exe*, double-cliquez sur son intitulé pour lancer l'installation.

3 La procédure d'installation ne pose aucune difficulté, il suffit de suivre les instructions qui s'affichent à l'écran.

4 Au terme de cette opération, démarrez VisualRoute en double-cliquant sur son icône disponible sur votre Bureau.

5 Dans la fenêtre qui s'affiche, inscrivez l'adresse du | Address www.microapplication.com | site dont vous souhaitez connaître la position géographique et validez par la touche **Entrée**.

6 Immédiatement après, VisualRoute vous indique sur sa carte l'itinéraire emprunté, à partir de votre machine, pour atteindre le site que vous venez d'indiquer. ■

Ce n'est pas tout : pour connaître le nom et l'adresse du propriétaire d'un site, vous pouvez interroger une base de données spécifique appelée Whois.

1 Connectez-vous sur ADN Domaines, le moteur de recherche des noms de domaine, à l'adresse www.adn-domaines.com. Inscrivez dans la section *1 Recherchez votre nom* le nom du serveur web, sans la mention http://www, ni l'extension (.com, .net...).

2 Sélectionnez l'extension du nom de domaine recherché sur la liste prévue à cet effet sous la rubrique *2 Sélectionnez la zone*.

3 Cliquez sur le bouton **Valider** pour passer à l'étape suivante.

4 Cliquez à présent sur le lien *Qui détient ce nom ?* pour en savoir plus à propos du nom de domaine correspondant.

5 Dans la page qui s'affiche, dédiée au résultat de votre recherche, vous disposez de plusieurs informations à propos du propriétaire du site et des personnes qui en assurent le fonctionnement.

■ La rubrique *Administrative Contact* vous donne le nom et l'adresse de la personne qui détient le nom de domaine du site.

■ La section *Technical Contact* vous donne le nom et l'adresse de l'organisme qui est responsable de la partie technique du site (plus particulièrement, la gestion du nom de domaine et son enregistrement dans les tables de routage).

■ La section *Billing Contact* permet de connaître la personne (nom et adresse) qui paye chaque année le renouvellement du nom de domaine. ■

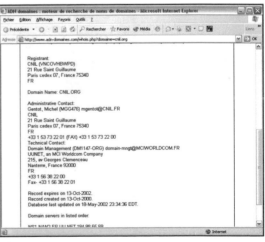

Recherche avancée
avec Internet Explorer

La recherche constitue une activité essentielle sur Internet et, pour cette raison, Internet Explorer dispose de fonctions avancées. En outre, la plupart des moteurs de recherche proposent leur plug-in pour optimiser vos investigations sur le Web.

Il existe plusieurs façons d'effectuer une recherche sur Internet et votre navigateur vous propose pour cela une méthode originale.

Lorsque vous affichez une page qui correspond bien à vos critères de recherche, vous pouvez rechercher immédiatement sur d'autres sites les pages qui traitent du même thème. De cette façon, vous obtiendrez des informations supplémentaires en toute simplicité, grâce à la nouvelle fonction de liens apparentés. Cette commande a été implémentée en partenariat avec la société Alexa, un organisme spécialisé dans l'analyse statistique du trafic des sites web.

1 Démarrez Internet Explorer et affichez une page qui correspond assez bien au thème que vous souhaitez approfondir. Sélectionnez ensuite la commande **Afficher les liens apparentés** du menu **Outils**.

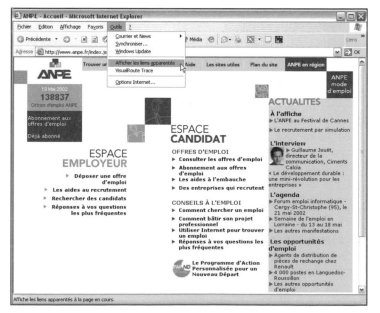

2 Un nouveau volet apparaît, celui d'Alexa, dans la fenêtre d'Internet Explorer et vous propose de nombreuses informations très intéressantes pour approfondir votre recherche et en savoir davantage sur le site consulté.

3 La première section, *Liens associés*, vous propose effectivement de nouvelles adresses de sites qui traitent du même sujet. Il suffit de cliquer dessus pour afficher les pages correspondantes dans la fenêtre principale d'Internet Explorer.

4 Vous disposez également, lorsque l'information est disponible, de l'adresse et du nom du propriétaire du site que vous consultez. Les étoiles qui apparaissent vous donnent une idée de la popularité de la page. ■

Enfin, rien ne vous interdit d'ajouter une nouvelle barre de recherche dans Internet Explorer. Prenons l'exemple de la VoilaBar qui est offerte par le moteur de recherche de Voila.

1 Connectez-vous sur le site de la VoilaBar à l'adresse http://voilabar.voila.fr. Cliquez sur le lien *Installer la VoilaBar* pour télécharger et installer le plug-in du moteur de recherche Voila.

Installer la Voilabar

2 La procédure d'installation est automatique. Au terme de l'opération, vous disposez d'une nouvelle barre d'outils pour effectuer vos recherches rapidement, sans vous connecter sur la page de Voila pour lancer vos requêtes. ■

Notez que les fonctionnalités de la VoilaBar sont nombreuses. Le champ texte permet d'inscrire vos mots-clés pour lancer vos recherches et, lorsque vous visualiserez les résultats, le terme recherché apparaîtra en surligné dans les pages que vous consulterez. Mais ce n'est pas tout ! Vous disposez également d'un accès direct à plusieurs autres services. Ainsi, vous pouvez effectuer une traduction instantanée de la page affichée, bénéficier d'un compte e-mail gratuit ou obtenir directement les informations du jour.

Gérer
plusieurs configurations

Si plusieurs personnes utilisent votre version d'Internet Explorer ou si vous utilisez des configurations différentes en fonction des sites que vous visitez (couleur des liens, type de polices, etc.), vous êtes alors obligé de modifier sans cesse les paramètres d'Internet Explorer pour passer d'un profil à l'autre. Voici une astuce qui vous permettra de gagner du temps.

1 Dans un premier temps, configurez comme d'habitude Internet Explorer pour surfer sur les services qui vous intéressent et qui nécessitent un paramétrage spécial de votre navigateur.

2 Sélectionnez la commande **Exécuter** à partir du menu **Démarrer** de la barre des tâches de Windows.

3 Dans la boîte de dialogue qui s'affiche, inscrivez l'instruction regedit et cliquez sur OK.

4 Dans la fenêtre de l'éditeur Regedit, sélectionnez la commande **Rechercher** du menu **Edition**.

5 Inscrivez dans la nouvelle boîte de dialogue les termes internet explorer settings et désactivez les options *Valeurs* et *Données*. Cliquez sur **Suivant**.

6 La fenêtre principale de Regedit affiche instantanément le contenu de la clé *HKEY_CURRENT_ USER\Software\ Microsoft\Internet Explorer\Settings* sans qu'il soit nécessaire de la rechercher à partir du menu gauche. Cela dit, rien ne vous interdit de le faire manuellement.

7 Sélectionnez à présent la commande **Exporter** dans le menu **Fichier**.

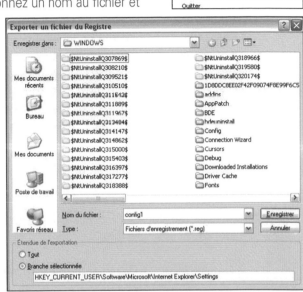

8 Indiquez dans la boîte de dialogue qui s'affiche le dossier où vous souhaitez sauvegarder le fichier qui contient toutes vos informations de configuration. Donnez un nom au fichier et validez par OK. Vous obtiendrez ainsi un fichier portant l'extension *.reg* dans l'emplacement que vous venez de définir.

9 Retournez dans Internet Explorer et configurez les paramètres de votre deuxième fournisseur d'accès Internet. Ensuite, reprenez notre pas à pas et reproduisez exactement la même opération avec Regedit pour obtenir un deuxième fichier de configuration *.reg*.

10 À présent, ouvrez votre éditeur de texte et, pour chacun des fichiers *.reg*, créez un autre fichier qui contiendra une commande de type batch. Admettons que vous ayez sauvegardé deux fichiers *.reg* dont les chemins et les noms sont *C:\windows\config1.reg* et *C:\windows\config2.reg*. Alors, vos fichiers de commande contiendront respectivement les lignes `Regedit /s c:\windows\config1.reg` et `Regedit /s c:\windows\config2.reg`. Il ne vous reste plus qu'à enregistrer ces derniers en leur donnant le nom de votre choix, mais, surtout, en indiquant bien l'extension *.bat*. ■

Désormais, pour activer les paramètres de configuration de votre navigateur, il suffit de double-cliquer sur le fichier *.bat* correspondant avant de l'utiliser. Et vous pourrez ainsi passer d'une configuration à l'autre instantanément.

Démarrer
avec les favoris

Comme nous l'avons signalé au début de cet ouvrage, dans la partie consacrée à la configuration d'Internet Explorer, ce dernier est paramétré par défaut pour se connecter sur le site de MSN dès que vous le démarrez. C'est pourquoi, nous vous avons indiqué comment modifier cette page de démarrage, et comment désactiver cette fonction en affichant une page vierge à la place.

Cela dit, pourquoi ne pas démarrer avec une liste d'adresses que vous utilisez chaque jour pour visiter vos sites préférés, en l'occurrence la liste proposée par vos favoris ? Ces derniers sont effectivement conçus pour enregistrer les adresses des pages web que vous conservez pour y retourner plus tard sans devoir saisir leur URL. Dès lors, il n'y a pas mieux pour commencer votre navigation sur le Web que d'afficher cette liste dans la fenêtre principale d'Internet Explorer lorsque vous le démarrez.

1 Exécutez Internet Explorer et sélectionnez la commande **Importer et exporter** du menu **Fichier**.

2 Un assistant s'affiche, cliquez sur **Suivant**.

3 Dans le cadre *Choisir une opération à effectuer*, sélectionnez l'option *Exporter les Favoris* et cliquez sur **Suivant**.

Fiche pratique 16

4 Pour enregistrer tous vos favoris sur la page de démarrage, cliquez sur le dossier *Favoris* et passez à l'étape suivante.

5 Sous le champ *Exporter vers un fichier ou une adresse*, indiquez le dossier où vous souhaitez sauvegarder le fichier HTML de vos favoris. Utilisez, si nécessaire, le bouton **Parcourir** pour sélectionner votre emplacement et passez ensuite à l'étape suivante.

6 L'assistant dispose à présent de toutes les informations nécessaires pour créer votre page de démarrage personnalisée. Cliquez sur **Terminer**. En fonction du nombre d'adresses contenues dans vos favoris, l'opération peut prendre un certain temps. Au terme de cette procédure, un message s'affiche. Validez par OK.

7 Sélectionnez à présent, dans Internet Explorer, la commande **Options Internet** du menu **Outils**.

8 Dans la boîte de dialogue qui s'affiche, sous l'onglet **Général**, inscrivez le chemin et le nom du fichier de vos favoris sous le champ *Adresse* de la section *Page de démarrage*. Validez ensuite la fenêtre par OK et refermez votre navigateur.

9 Démarrez enfin Internet Explorer. ■

Comme vous pouvez le voir, vous disposez à présent d'une page qui reprend, sous forme de liens, toute la liste de vos adresses contenues dans le module **Favoris** du navigateur. Il ne vous reste plus qu'à vous connecter à Internet et à utiliser votre nouvelle page de démarrage pour naviguer sur le Web.

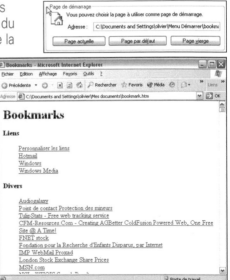

Éradiquer
tous les espions du Web

Lorsque vous naviguez sur le Web, et que vous installez différents logiciels récupérés à droite et à gauche sur Internet, vous pouvez installer sans vous en rendre compte des petits modules espions qui envoient des informations à propos de votre navigation sur des serveurs.

En général, ces modules sont intégrés dans des applications gratuites et permettent à leur auteur de se rémunérer de cette façon. Les serveurs qui récupèrent les informations peuvent ainsi élaborer des fichiers clients qui seront ensuite revendus à des services marketing pour l'élaboration de leur campagne publicitaire.

Bien entendu, cela en dérange plus d'un et, fort heureusement, des internautes ont mis au point des utilitaires capables de détecter et de supprimer ce que l'on appelle désormais les *spywares*, les espions logiciels. Si vous souhaitez, vous aussi, vous débarrasser de ces programmes bien indiscrets, procédez de la manière suivante :

1 Connectez-vous sur le site de Lavasoft, l'éditeur de l'utilitaire gratuit Ad-Aware, à l'adresse www.lavasoft.nu.

2 Téléchargez la dernière version de l'utilitaire dans la section *Download*.

3 Double-cliquez sur le fichier *aaw.exe* que vous venez de télécharger pour exécuter l'installation du produit. La procédure se fait sans difficulté à travers un assistant graphique. Il suffit de suivre les différentes étapes qui s'affichent à l'écran.

4 Au terme de la procédure d'installation, démarrez le programme à partir de l'icône *Ad-Aware* qui s'est ajoutée sur votre Bureau.

5 Sélectionnez dans le cadre gauche les disques que vous souhaitez analyser et cochez les options *Scan Registry* et *Scan Memory*. Cliquez ensuite sur le bouton **Scan now**.

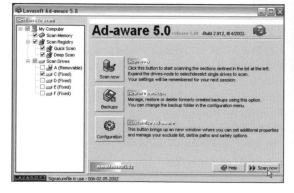

Fiche pratique 17

6 L'opération peut prendre un certain temps en fonction de votre configuration et du nombre de logiciels que vous avez installés.

7 Au terme de cette analyse, cliquez sur le bouton **Continue** pour visualiser le résultat de cette recherche.

8 Vous pouvez sélectionner individuellement chaque composant à désinstaller (certains sont connus comme Cydoor et eTraffic, entre autres). Vous disposez également d'un bouton **Backup** pour effectuer une sauvegarde et, le cas échéant, réinstaller vos composants. Une fois votre choix effectué, cliquez sur le bouton **Continue** pour lancer l'opération.

9 Lorsque les espions ont été désinstallés par Ad-Aware, un message vous indique que l'opération s'est bien déroulée. Cliquez sur OK pour valider la boîte de dialogue et retourner dans l'interface principale de l'utilitaire. ■

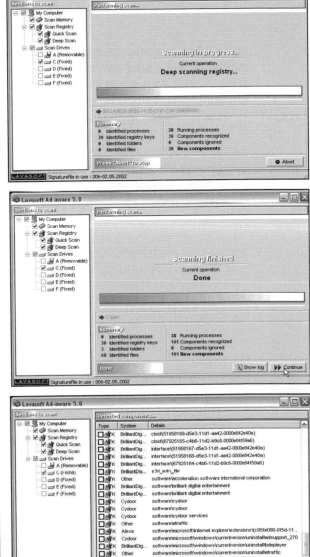

Notez toutefois que certains de vos logiciels ne pourront plus fonctionner après avoir retiré les espions qui les accompagnent. Dès lors, vous devrez faire un choix : continuer à utiliser vos programmes ou non...

Les paramètres
avancés (1)

Internet Explorer propose des paramètres de configuration avancés que bien peu d'internautes utilisent. La plupart d'entre eux sont très techniques et les utilisateurs hésitent à les activer, ou ignorent tout simplement leur existence. Pour cette raison, nous avons consacré nos trois dernières fiches à la configuration avancée du navigateur. De cette façon, vous pourrez l'utiliser de façon optimale et dans les meilleures conditions.

1 Démarrez Internet Explorer et sélectionnez la commande **Options Internet** du menu **Outils**.

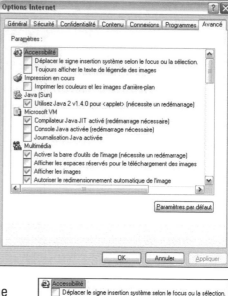

2 Activez l'onglet **Avancé**. ■

Vous disposez ici d'une longue liste d'options que nous allons examiner individuellement.

■ La section *Accessibilité* propose deux options :

✓ *Déplacer le signe insertion système selon le focus ou la sélection* : indispensable pour ceux qui disposent d'une aide à l'accessibilité (agrandisseur d'écran par exemple) qui utilise le curseur pour agrandir une portion de l'écran.

✓ *Toujours afficher le texte de légende des images* : si l'option Afficher les images est désactivée, vous pouvez cocher cette option pour agrandir l'espace d'affichage de la légende texte.

■ La section *Impression* en cours propose une option : *Imprimer les couleurs et les images d'arrière-plan*, qui permet d'imprimer la couleur et l'image de fond des pages web. Attention, cela peut rendre le résultat illisible !

■ La section *Java (Sun)* propose une option : *Utilisez Java 2 v1.4.0 pour <applet>*. Si vous avez installé votre propre environnement d'exécution Java, vous pouvez alors l'utiliser avec Internet Explorer.

■ La section *Microsoft VM* propose trois options :

  ✓ *Compilateur Java IT activé* : utilise l'environnement d'exécution Java de Microsoft.

  ✓ *Console Java activée* : permet aux développeurs de tester leurs programmes Java avant de les mettre en ligne.

  ✓ *Journalisation Java activée* : création d'un journal pour l'exécution de tous les programmes Java (utile pour le débogage).

■ La section *Multimédia* propose neuf options :

  ✓ *Activer la barre d'outils de l'image* : affiche sur les images une barre d'outils spécifique qui simplifie, entre autres, l'impression et l'enregistrement.

  ✓ *Afficher les espaces réservés pour le téléchargement des images* : affiche les emplacements des images pendant le téléchargement de la page.

  ✓ *Afficher les images* : affiche les images d'une page. En désactivant l'option, le transfert est plus rapide.

  ✓ *Autoriser le redimensionnement automatique de l'image* : les grandes images sont automatiquement redimensionnées pour tenir dans la fenêtre du navigateur.

  ✓ *Lire les animations dans les pages Web* : exécute les images d'une page. En désactivant l'option, le transfert est plus rapide.

  ✓ *Lire les sons dans les pages Web* : permet d'écouter les sons d'une page. En désactivant l'option, le transfert est plus rapide.

  ✓ *Lire les vidéos dans les pages Web* : permet de lire les vidéos d'une page. En désactivant l'option, le transfert est plus rapide.

  ✓ *Ne pas afficher le contenu du média en ligne dans la barre de média* : affiche le contenu multimédia dans une fenêtre indépendante, celle du Lecteur Média de Windows.

  ✓ *Tramage intelligent de l'image* : affiche les images en les lissant pour atténuer les irrégularités.

Les paramètres
avancés (2)

Passons à la deuxième partie de la configuration avancée d'Internet Explorer. Celle-ci traitera plus particulièrement de la navigation.

La section *Navigation* propose vingt-trois options.

- ■ *Activer l'affichage des dossiers sur les sites FTP* : utilise une navigation identique à celle de l'Explorateur Windows lors d'une connexion sur les sites FTP.

- ■ *Activer le menu Favoris personnalisé* : dans le menu **Favoris**, permet de masquer automatiquement les liens que vous n'utilisez pas souvent.

- ■ *Activer les éléments disponibles hors connexion à synchroniser lors d'une planification* : autorise les mises à jour de certains composants pour vos planifications.

- ■ *Activer les extensions tierce partie du navigateur* : si vous rencontrez des problèmes avec certains plug-in installés par d'autres éditeurs que Microsoft, vous pouvez désactiver cette option.

- ■ *Activer les styles visuels sur les boutons et les contrôles dans les pages Web* : permet aux contrôles des pages web d'utiliser les paramètres d'affichage de Windows.

- ■ *Activer l'installation à la demande (Autre)* : permet de télécharger automatiquement des composants nécessaires à l'affichage de certaines pages web.

- ■ *Activer l'installation à la demande (Internet Explorer)* : permet de télécharger automatiquement des composants d'Internet Explorer nécessaires à l'affichage de certaines pages web.

- ■ *Afficher des messages d'erreur HTTP simplifiés* : permet d'obtenir une information détaillée lors d'une erreur. Sans cette option, vous aurez simplement un code d'erreur et son nom.

- ■ *Afficher le bouton OK dans la barre d'adresses* : permet de se connecter à un site avec le bouton OK de la barre d'adresses.

■ *Afficher les URL simplifiées* : indique le titre de la page dans la barre d'état, et non son adresse.

■ *Afficher une notification pour chaque erreur de script* : vous informe des erreurs de programmation contenues dans les pages.

■ *Autoriser les transitions entre les pages* : permet d'avoir des effets de fondu lorsque vous passez d'une page à une autre.

■ *Avertir lorsque le téléchargement est terminé* : entraîne l'affichage d'un message à la fin d'un téléchargement de fichier.

■ *Désactiver le débogueur de script* : si vous avez installé un débogueur de script, vous pouvez le désactiver.

■ *Fermer les dossiers inutilisés de l'Historique et des Favoris* : lorsque vous ouvrez un dossier dans les volets de l'historique ou des favoris, ceux qui ont été précédemment ouverts sont automatiquement refermés.

■ *Forcer la composition hors écran même sous Terminal Server* : permet d'éviter le clignotement lors de la composition sous Internet Explorer avec un service Terminal Server. Cette option dégrade les performances du navigateur dans cet environnement.

■ *Réutiliser les fenêtres pour lancer des raccourcis* : lorsque vous cliquez par exemple sur un lien qui affiche Outlook Express, ce dernier réutilise une fenêtre déjà ouverte par Internet Explorer.

■ *Souligner les liens* : définit comment les liens apparaissent dans les pages avec trois options pour le soulignement : *Jamais*, *Par pointage* et *Toujours*.

■ *Toujours envoyer les URL en tant que UTF-8* : le standard Unicode (UTF-8) permet d'échanger des caractères dans toutes les langues. Vous pouvez ainsi utiliser des URL contenant des caractères issus d'autres alphabets.

■ *Utiliser la saisie semi-automatique dans la barre d'adresses* : Internet Explorer peut compléter automatiquement le début de votre saisie.

■ *Utiliser le défilement régulier* : affiche le contenu en utilisant la vitesse de défilement standard de votre système.

■ *Utiliser le mode FTP passif (pour assurer la compatibilité avec les pare-feux et les modems DSL)* : avec le mode FTP passif, votre machine n'a pas besoin de connaître son adresse IP. Certaines configurations réseau fonctionnent uniquement avec ce code, d'autres non (la plupart prennent en charge les deux modes). Notez que le mode passif est plus sécurisé.

■ *Vérifier automatiquement les mises à jour de Internet Explorer* : en activant cette option, le navigateur vérifiera tous les 30 jours s'il existe une nouvelle version d'Internet Explorer et vous proposera, le cas échéant, de la télécharger.

Les paramètres
avancés (3)

Au menu de cette dernière partie de la configuration avancée d'Internet Explorer : protocole, recherche et sécurité.

■ La section *Paramètres HTTP 1.1* propose deux options :

✓ *Utiliser HTTP 1.1* : utilise le protocole HTTP 1.1 pour se connecter aux sites web. Si vous avez des problèmes de connexion avec certains sites, désactivez cette option. Cela peut effectivement signifier qu'ils utilisent encore la version 1.0.

✓ *Utiliser HTTP 1.1 avec une connexion par proxy* : utilise le protocole HTTP 1.1 via une connexion par proxy.

■ La section *Rechercher à partir de la barre d'adresses* propose l'option Lors de la recherche où quatre options sont disponibles. La première affiche les résultats sous forme de liens dans le volet **Recherche** et se connecte au site le plus approprié dans la fenêtre principale. La deuxième affiche les liens dans la fenêtre tandis que la troisième permet de désactiver la fonction de recherche dans la barre d'adresses (vous disposez toujours toutefois du volet de recherche). Enfin, la quatrième option permet de se connecter uniquement au site qui correspond le mieux à vos critères de recherche.

■ La section *Sécurité* propose treize options :

✓ *Activer l'Assistant Profil* : autorise ou non les demandes d'informations de certains sites à propos de l'Assistant Profil (adresse e-mail, par exemple).

✓ *Activer l'authentification intégrée de Windows* : active la fonctionnalité d'authentification automatique de Windows.

✓ *Avertir en cas de changement entre mode sécurisé et non sécurisé* : affiche un message lorsque vous vous connectez ou lorsque vous quittez une page sécurisée.

✓ *Avertir pour les sites dont les certificats sont non valides* : affiche un message lorsque vous affichez une page sécurisée dont le certificat numérique n'est plus valide (expiration de la date).

✓ *Avertir si les formulaires soumis sont redirigés* : affiche un message lorsque vous envoyez un formulaire qui est transmis à un site différent de celui que vous consultez.

✓ *Ne pas enregistrer les pages cryptées sur le disque* : ne met pas en cache les pages sécurisées (là où vous indiquez le numéro de votre carte bancaire, par exemple).

✓ *SSL 2.0* : autorise la transmission d'informations via le protocole sécurisée SSL 2.0.

✓ *SSL 3.0* : autorise la transmission d'informations via le protocole sécurisée SSL 3.0. il est plus sûr que le précédent, mais il n'est pas pris en charge par tous les sites.

✓ *TLS 1.0* : autorise la transmission d'informations via le protocole sécurisée TLS 1.0 (Open Source). Certains sites ne le prennent pas en charge.

✓ *Vérifier les signatures des programmes téléchargés* : vérifie l'identité des programmes téléchargés.

✓ *Vérifier la révocation des certificats* : vérifie qu'un certificat n'a pas été retiré avant de l'accepter comme valide.

✓ *Vérifier la révocation des certificats de l'éditeur* : vérifie qu'un certificat associé à un programme n'a pas été retiré avant de l'accepter comme valide.

✓ *Vider le dossier Temporary Internet File lorsque le navigateur est fermé* : vide automatiquement le cache du navigateur lorsque vous quittez l'application.

Index

Index

Imprimerie CHIRAT, 42540 Saint-Just-la-Pendue
Dépôt légal novembre 2002 N° 6586